「松本」の「遺書」◉目次

# 「松本」の「遺書」

# ウンコちゃんのような質問は、やめてください

テレビ番組雑誌には必ず「視聴率ベスト10」などという胸クソの悪いページがある。そんなことはテレビ局の人間や番組のスポンサーが気にすればよいことだ。一般人が意識して、視聴率の高い番組を、学校や職場で取り残されないように、好んで見るようになるというのは、非常に怖いことではないのか。

タレントがこれを意識しだすと、これはもう最悪で、テレビというものがどんどんワンパターン化し、つまらなくなるのではないのか。

お笑い番組がいちばん困りものだ。だいたい、笑いなんて、百人中百人が笑うことは、ほんとうはそんなにおもしろいことではないのだ。

レベルの高い笑いが分かる人間の絶対数は、かなり少なく、そのパーセンテージは二、三パーセントぐらいだろう（もっと少なかったりして）。野球のホームランは、だれが見てもホームランだが、笑いのホームランは、気づかれないことが多いから悲しい。しかも、

自分のバカを夕ナに上げて文句を言うヤツがいるから、たまったものではない。

そろそろ本題に入ろうと思うが、ダウンタウンは、ほんとうにすごい二人なのである。とくに松本は今世紀最大の天才で、おそらくこの男を、笑いで抜くコメディアンは出てこないであろう。ハッハッハッ。

「いまいちばんおもしろいコメディアンは?」と聞くと、若い年齢層はダウンタウンをあげる。年寄りや子どもは、違うコメディアンをあげるであろう。が、しかし、ここで考えてほしいのは、どの層が笑いをいちばん理解しているかということである。いちばん敏感で、感性がピークに達している世代——。答えは若い層である。

よく、お笑いの世界で「天下を取る」という言葉を耳にするが、それは、たくさんの人に支持されているということではなく、いかに笑いのレベルの高い人間に支持されているか、ということなのである。そういう意味からも、ダウンタウンは、日本一のコメディアンということになる。

ここで間違っていけないのは、「日本一のコメディアン」で、「日本一のタレント」ではない、ということだ。

コメディアンという肩書で、歌をうたったり、ドラマに出たりするのは、オレは違うと思う(これは、相方の浜田にもいえることだ)。それで評価を得ても、コメディアンとして、なんの意味もない。

いつまでも笑い一本で勝負していきたいものである。それはすごく勇気と自信のいるものだが、天才松本は、あえて挑戦しようと思う。

このコラムを読んだ人は、このオレさまに、

「松ちゃんは、ドラマに出ないの？」

などというウンコちゃんのような質問は、やめていただきたい。

いまダウンタウンは、週四本のレギュラーをもっている。この先も、テレビの仕事を続けていくであろう。

でも、きっと視聴率二〇パーセントを超えるような番組は、できないし、しないだろう。日本人の笑いのレベルが、もっともっと上がらないかぎり。

## 審査委員長の藤本義一君
## 笑いに携わるのは、やめなさい！

前回はかなり横柄《おうへい》に書いてしまったが、引き続き横柄に書くぞコノヤロー！

ときどきテレビを見ていると、過去のコメディアンを振り返る番組をやっている。故・

林家三平などの古いVTRを流し、司会者やコメンテーターなどが、「いやー、いま見てもおもしろいですねー」と、歯の浮くどころか、アゴごと空に飛んでいきそうな、なまあたたかいことを言ってくれる。決まってオレは、テレビの前で、「チャンネルを替えよっかなあ〜」になってしまう（故・林家三平師匠の身内の方々、まあまあ落ち着いて）。

笑いというものは、その時代時代でどんどん変化していくもので、それは、本人も（あの世で）分かっていることである。そんな司会者の発言は、ぜんぜんほめ言葉でもなんでもないし、もしも本気で言っているのなら、林家三平の全盛期から、感性がストップしてしまっているウンコちゃん人間である。

笑いをナツメロといっしょにしてしまうバカが多いから困ってしまう。

「笑いを歌などといっしょにしてしまうな！」

と言いたい。

デビュー当時、よく新人漫才コンクールのようなステージに立たされ（これはレコード大賞を意識しているのであろう）、なまじっか才能があるがために、最優秀新人賞などをよくもらった。それ自体、いまとなってはあまり意味のないものだが、まあ当時はうれしかったものだ。だが、この後がタチが悪い。

司会者「さあ、それでは、最優秀新人賞に輝きましたダウンタウンのお二人に、もう一度、先ほどの漫才を受賞漫才としてやっていただきましょう。ハリキッテどうぞー！」

……殺すぞ……。

同じネタを二回やってうけるわけがない。まして、漫才というものは、いかにアドリブっぽく見せるかという部分が大切であり（持論）、特にオレは同じことを二回言うのが大嫌いで、ほんの何時間か前に言ったこととまったく同じことを言うのは、恥ずかしくて顔が真っ赤になってしまう。

女漫才コンビが受賞しようもんなら、もう大変。ネタの途中で泣き出したりしやがる。すると、客席で、家族が涙し、それを見た客がもらい泣き、それを見た司会者の目がうるうる……。

「ハァー」（コメント不可能）

もう一度言おう。笑いと歌をいっしょにするな！　いまでもそんな番組をやっている大阪の放送局、ただちにやめなさい！　審査委員長の藤本義一君もやめなさい！　君は、素人以下だ！　笑いに携わるのをやめなさい。

まあ、それは今度たっぷり書くとして、ダウンタウンの昔のＶＴＲを勝手に流すのも、やめなさい！

そしてなによりも、俺がこの世を去ったとき、司会者は、

「いやー、いま見てもおもしろいですねー」

だけは絶対に言ってくれるなコノヤロー。もしもそんなことをぬかしたら、枕元に立っ

て、そのころには笑えない医者ネタをやるぞ、コノヤロー!

# 大阪の芸人は、女と別れても2回売れなくてはならない

全国区タレントという言葉があるが、それって一体なんじゃらほい? 日本のタレントは全国区タレントとローカルタレントとに大きく分けられるということらしいが、タレント自体はテレビカメラの前で、まったく同じようにやっている。それが全国に流れているか、一地方都市に流れているかだけの違いであり、それはテレビ局もしくはプロデューサーの力の差がそうさせているわけで、タレントにはなんの責任もないのである。

にもかかわらず、全国区タレント=エライ! ローカルタレント=ダメ! と言われているようで、いまひとつ納得いかない(ギャラにもかなりの差がある)。

まあ、それはさておき、今回は、大阪の芸人(ローカルタレント)が東京で売れる(全国区タレントになる)大変さについて書くぞコノヤロー!

まず大阪の芸人は、二回売れないといけない。一度大阪で売れ、東京からお呼びがかかるか（ダウンタウンはこれに属する）、事務所が東京に売り込みに行く。そして、東京でもう一度ゼロの段階からがんばる、という図式になっている。

ところが、失敗するケースも少なくはない。

その原因は、大きく分けて二つある。一つはゼロの段階からがんばることができない奴らで、大阪で生半可売れてしまったがために、変なプライドを持ち、初心を忘れてしまったウンコちゃん芸人である。東京で売れたいのなら、楽をしようとせずに、もっともっと努力しろ、バカタレ！（少なくともダウンタウンは、大阪をすべて断ち切り、深夜番組で冷たい客の視線を受けながら毎週、漫才をやったぞコノヤロー！）

そしてもう一つは、東京という大都会に畏縮してしまうケースである。これは、吉本芸人に意外と多く、その責任は吉本興業にあると、オレは思う（いや、マジで）。

まず、吉本という会社は、新人タレントをタレントとして扱わない。ノーギャラの仕事は、当たり前。マネジャーなんてよっぽど売れないかぎり付くこともなく、新幹線なんて乗ったりしてもグリーン車に座れるタレントはごく一部で、常に「お前らなんか……」「お前らみたいなもんが……」と毛ジラミみたいな扱いを受ける。そうすることによって、「オレらなんか……」「オレらみたいなもんが……」という気持ちになり、東京のタレントと一緒の仕事をすると、どんどん畏縮していくのである。

以上のような条件に打ち勝つことのできた大阪芸人が、全国区タレントとして名を上げることができるのである。よく、大阪の芸人はくどいとかしつこいとかうるさいとかいろいろ言われるが、それだけ努力をし、苦労して、はるばる大阪から、女に別れを告げ（それはワシのことかえ）出て来た、心に傷持つ戦士なのだから、もっともっと全国のみなさんは、温かい気持ちで見守らないといけないよ。

Ｐ・Ｓ　大阪でたいしておもしろくもなく、売れてもいない奴が、東京に来るのはやめなさい。大阪の恥だ、コノヤロー。

# オレが島田紳助に弟子入りしなかったのはなぜか!?

「弟子にしてください」
と言われたことはあるが、言ったことはない。そう、ダウンタウンには、師匠がいないのである。

最近でこそ、珍しいことではないが、われわれのデビュー当時（十数年前）は、弟子入りして二、三年の修業を積んでデビューするというのが、普通であった。

そのためか、いろんな意味で、肩身のせまい思いもしたし、イヤな先輩にイジメらしきものを受けたりもした。

（まぁ、そんなもんは屁とも思わなかったが）

では、なぜ弟子入りしなかったか？（それを書くには、かなりの根性がいるが）どう考えても、師匠の舞台が終わるのをおしぼりや水を持って待っていることが、芸に関係あるとは思えないのである。

しかも、本当に師匠に惚れ込んで、芸を盗みたいとか、身の回りの世話をしたいとか思ってやっているヤツなんて、ほんのひとにぎり。ほとんどが、何人かに頼みに行って断られ、最終的にその人に落ち着いたようなヤツである。

紳助・竜介に憧れて、この世界に入ろうと思ったオレだが、島田紳助の弟子になろうとは思わなかった。弟子になってしまうと師匠を抜けないような気がしたし、同じ線上で勝負したいと思ったのだよ（カッコイイーッ）。

結局オレは、浜田と二人で吉本のＮＳＣ（吉本総合芸能学院）に入った。しかしここに入っても、師匠のいない新人には風当たりが強い。入学当初、百人以上いた生徒は、次々やめていく。（才能がないというのが、いちばん大きな理由だが）

そして残ったヤツらは、自分だけの力でガンバルのか？　といえばそうじゃない。売れている先輩に近づいていき、腰ぎんちゃくのようになるのだ（それなら最初から弟子入りしろ、大バカタレ！）。

売れているタレントは、よく野球チームなどを持っている。可愛がられるために、そこに入って毎日のように早朝野球に参加し、ユニホームで楽屋に出入りする（おまえら、何しに吉本に入ったんじゃ！　大グソタレッ！）。

オレと浜田は、絶対にそれをしなかった。別に、二人で話し合ってそうしたワケではなく、暗黙の了解のようなものがあった（だから、ダウンタウンは、スバラシイッ）。

いまでも、年間四、五人が、「弟子にしてください」とオレのところに来る。でもオレは、もちろん断るようにしている。なんにも教えることはないし、売ってやる自信もない。結局お笑いは、そいつの才能以外のなにものでもないのだ（まぁ、オレのところに来た時点で、まんざら才能のないヤツではないとは思うが）。

お笑い芸人を目指しているヤツ、または目指しきれていないヤツ、よく聞け！

芸人は、サラリーマンではないのだ！

上司に可愛がられれば、それなりに出世もするだろう。しかし、この世界では、一人ひとりが社長なのだ！　その会社をどう大きくしていくかという弱肉強食の世界なのだ、バカヤロー！

# 嫌われてなんぼのこの世界 同情されたらやめてやるぞ！

フジテレビ系「ウッチャンナンチャンのやるならやらねば！」収録中、香港のロックグループのボーカルが転落事故で亡くなった件で（いまさら事故の状況を詳しく書くこともないだろう）、まぁ、新聞、雑誌、ワイドショーは、好き勝手にぬかしてくれた。

世間は、だれかに責任をかぶせないと納得がいかないから、タチが悪い。

「バラエティー番組は夜遅くまでの収録で、タレントもスタッフも疲れがたまって、事故がいつ起きてもおかしくない状態だ！」

「最近のお笑いタレントは、しゃべりより体を張って笑いをとるヤツばかりだ！」

などなど、評論家は言いたい放題だった。一つだけ言いたいのは、ウンナンもスタッフも、視聴者を楽しませようとしていたのだ。その気持ちだけは、わかってほしい。

さて、遅ればせながら本題に入ろう。

お笑いタレントにとって、涙は禁物である（感動の涙、うれし涙はギリギリセーフ）。

なぜなら、世間からカワイソーと思われ、同情されることによって、そいつのやることなすこと、笑えなくなる危険性があるからだ（別にウンナンを責めているワケじゃなく、ウンナンを追い込んだマスコミを責めているのだ）。

昔、トニー谷というコメディアンだったか、息子が誘拐され、涙ながらに訴えて、息子は無事帰ったものの、同情を買いすぎて、人気が落ちたという話を耳にしたことがある。

まさに、それだ。

オレは、この芸能界でやっていくのに、一つのポリシーを持っている。

「憎まれっ子世にはばかる」

というヤツだ。

「アイツは嫌いだ！　悔しいが、でもおもしろい」

最高ではないか。この世界、嫌われてなんぼ、同情なんてフニャフニャチンポだ（もともと、人に好かれる人間ではないのだが）。

まぁ、しかしお笑いタレントというのもつらい仕事である。どんなに悲しいことがあっても、決して表に出さず、人を笑わせないといけない。

恋人が死んだとき、歌手ならバラードでも歌えばサマにもなるが（涙を流せば流すほど、効果は絶大）、芸人はハゲヅラをかぶって走り回り、ケツを出して跳んだりはねたり（そこまでせんでもええけど）、恋人もうかばれない。

そこまで仕事に徹しても、不謹慎だと言われかねない（同情されるよりマシだが）。

今回のウンナンの事故は、不運としか言いようがない。どんな番組にも起こりうることで、ダウンタウンの番組も例外ではないだろう。

ただしオレは、ウンナンより人間ができていないのかもしれないが、もし自分がその立場に立たされたとき、記者会見もしないし、頭を下げることも、涙を流すこともしないだろう。

自分に直接の責任もないのに、テレビカメラの前で、それだけは絶対したくない。

そして、もしそれが芸能人として失格なら、そんな世界、こっちからやめてやる。

同情されるぐらいなら、やめてやるぞコノヤロー！

# オナニーも見つかる狭い家
# 親にはなんの恨みもない

イヤーな夏休みがやってきた。もちろん、昔から夏休みが嫌いというわけではない。この仕事を始めてから、大嫌いで、恐怖すら覚える。

大阪のレギュラー番組のため、月二、三度大阪へ帰る。その移動中の新幹線や飛行機に現れるバカ家族のみなさん——メガネをかけ、仕事がいかにもできなさそうな男性、決して美しいとは言えない、頭の弱そうなご婦人、大きくなっても決して男からちやほやされないであろう小学校低学年の少女、そして、まだ言語をうまく使うことすらできない、ザーメンのにおい漂う一歳にも満たないお坊ちゃんなどで形成された、百害あって一利なし集団——が、その原因である。

まず、なぜこの方々がグリーン車やファーストクラスに座るのか、私には謎である。坊ちゃんやお嬢ちゃんにはそのイスはあまりにも大きく、寝返りを打って寝ている姿には殺意すら覚える。そして、お嬢ちゃんの腕時計の意味がまたわからない。目的地に着くまでの間、それをちらちらのぞいている姿は、目つぶしをしてもお釣りがくる。さらに、食べきれないほどのお菓子、ジュース、アイスクリームの嵐。やはり日本という国はどこか間違っているような気がしてならない。これだけ至れり尽くせりの状態でも、坊ちゃんはなにか不満があるらしく、キィーッフワーッムンガーッと奇声をお発しになられる。

ご両親はといえば、それを見てにこやかに笑っておられる。大阪に着くまでの間、仮眠をしようと思っていた私の夢を、いとも簡単にお潰しになられるのだ。

さて、そろそろ、言いたいことを言わせてもらおう。

新幹線も飛行機も、わけもわからん禁煙席を作るぐらいなら、禁ガキ席を作れボケタレ！　そしてバカ夫婦、お前らのクソガキなど少しも可愛くないんじゃ！　お前らが自分のガキが可愛いからといって、他人も同じように思っていると思うな！　ガキの奇声は、お前らには日常であっても、たまに聞く人間には、何倍も大きく感じられ、不愉快きわまりないものなのだ。

だいたい、まだ物心もついていない幼児を、どこへ連れて行こうというのか？　その旅行がどんなに楽しくても、大きくなったときには何も覚えていないし、子どもにとってもいい迷惑だ。

オレに言わせれば、奇声を発するガキがいるヤツらには旅行をする資格などない。どうしても行きたいなら、だれかに預けるか、車で行け、このやわらかウンコ！

オレは小さいころ床の抜けた家で育ち、欲しいものもほとんど与えられず、自分の部屋もなく二十歳まで育った（そのため、よくオナニーも見つかった）。だからといって親に対しては恨みもないし、むしろオレががんばって楽させてやろうと人一倍思う。

欲しいものをなんでも与え、叱るべきときに叱らず、たばこの煙にも気を使ってベランダに出て吸う。そこまで手塩にかけて育てられたお坊ちゃん、お嬢ちゃんが、オレより立派に、オレより親思いに育つか、楽しみにしてるぜっ、ワッハッハッハッ。

# 芸人は客を選べる。ゆえに「笑っていいとも!」を降りた

オレは気が長いか短いかというと、決して長いほうではない。そのためか、アホが世間に多いためか、よく街で声を張り上げての口論になることが多い（タレントでなければ手も上げられるのだが）。

このあいだもタクシーに乗っていて、あまりに態度の悪い運転手に腹が立ち、ロゲンカになった。

お互いの意見を言い合い、そろそろフィナーレに近づくころ、その運転手がポツリと、「あんたのファンだったのに、残念だなぁ」とぬかしてくれた。

自分が悪いのを夕ナに上げ、「あんたのファンだ」「いつもテレビで見ている」などと言うことによってタレント心をくすぐり、立場を逆転しようというヤツがけっこう多いのである。

ふつうのタレントならひるんでしまうだろうが、オレはそんなに甘くはない。そんなヤ

ツがファンのわけはないし、百歩譲ってファンだったとしても、そんなファンはこっちからお断りさせていただきたい。オレはタクシーの降りざま、捨てゼリフとして、

「オレの番組、二度と見るな！」

と言ってやった。

そこで、今回のテーマは「タレントも客（ファン）を選べる」ということだ。

新人のころ、花月（吉本の演芸場）で、おじいおばあの団体客の前で漫才をやらされた。もちろん、最初の二、三分は一生懸命やる。しかし、客のレベルがあまりにも低いことが分かると、いちばん前の客にも聞こえない小さい声でしゃべったり、十五分の持ち時間を三分で帰ったりしたものだ（ちなみに最短記録は三十秒）。劇場の支配人が飛んで来て、「客を選ぶな。プロだったら、どんな客の前でも手を抜くな」と怒鳴られたものだ。

しかし、プロだからこそ客を選べるのだ。笑いのレベルの低い客に、レベルを落としてまでネタをやってはダウンタウンの名前に傷がつく。

といって、客がクスリとも笑わない舞台で十五分も漫才をやるのはもっと傷がつく。笑わぬなら帰ってしまえホトトギス、である（もちろん、次の芸人さんはまだスタンバイができておらず、その人には必死で謝ったが）。タレントにとっていちばん怖いのは、バカな客、バカなファンに潰されてしまうことだ。

確かにファンは少ないより多いほうがいい。でも、そいつらに踊らされないようにしな

くてはならない。頭の悪い客を無理して笑わすこともないし、こうすればもっとファンが増えるかもしれないとか、こんなことをしたらファンが減るかもしれないなどと考えるようになったら終わりである（特に芸人）。

いまだから言うが、オレが「笑っていいとも！」を降りたいちばん大きい理由がそれで、あそこの客はまるで自分たちが出演者であるかのようにギャーギャーうるさく、このオレ様が天才的なボケをかましているのに、変なタイミングで声援したりしやがる。

そんな奴らにニッコリ笑って手を振るほどオレはお人好しではない。オレの大事な仕事場に、土足で入って来る奴らは何人たりとも許さない。

それじゃあ今日はこのへんで。

## 進みすぎてるオレの笑い 3年ぐらい休んだろか!?

〝ダウンタウンの松本　三年間休業！〟

スポーツ新聞にそんな記事が出たら、そこそこ話題になるだろう。まぁ、全くない話でもない。オレの夢の話かと言えばそういうワケでもなく、夢というより希望、希望というより——絶望。

そう、オレは世間というヤツに絶望しているのだ。

この世界（お笑い界）は、常に世間より一歩リードしていなくてはならない（世間のヤツがおもしろいと思う一つ先を行かなければいけない）。

ところがオレの場合、三歩以上リードしてしまっているようだ。そこで、〝三年ほど休んだろかい〟的発想が頭をよぎってしまう。

考えてみるに、デビュー当時からその問題はオレの中にあった。世間のヤツがオレの笑いについてこられないのがいらだたしかった。

三年ほど休んだところでオレを抜く新人が出て来そうもないし、世の中のレベルから考えても、ちょうどいいバランスではないだろうか。

ダウンタウンの代表的ネタにクイズネタというのがある。これを初めて舞台でやったのは、五、六年前。しかし、このネタ、実はその三年前にオレの頭の中にできていたのだ。

だが当時、相方の浜田にも、「意味がわかりにくい」と却下され、三年後にあらためて披露したのである（うーん、いらだたしい）。

いま現在やっているレギュラー番組でも同じことが言える。NTV「ガキの使いやあらへんで!!」という番組で、毎週フリートークを二人でしているが、時々、オレと浜田だけが大笑いし、客がキョトンとしていることがある（客がついてきていないのだ）。

フジ「ごっつええ感じ」でもかなりレベルの高いショートコントをやっているが（低いときもあるが）、反応がいまひとつだったりする。

そういえば、この間もTBSの特番で、一分間にバナナを何本も食べた男に、

「この人踏んだら、ヌルッてコケるんちゃうか」

とかましたが、客は全くの無反応であった。このギャグが笑えないのは、早いとか遅いとかの問題じゃなく、感性の問題だが、一般素人なんて、そんなものなのだろう。

ファミリーレストランに行ってもそうだ。後ろの席のヤツらが盛り上がっているので聞き耳を立ててみると、

「オレはミック・ジャガーより肉ジャガが好きだなぁ」

オレはギャグだとわからず、ああ、この人は本当に肉ジャガが好きなんだなぁと思ってしまった。やはりオレと世間の間には、かなり厚い壁があるのだろう。

しかし、オレがいくらこんなことを書きつづっても、わからんヤツには、「こいつ何言うとんねん」で終わるのだろう。

タイムマシンで三年前に戻り、「三年後、サッカーがはやるぞ」と言っても、だれが信用するだろう。それと同じことなんだろう。

〝それでも地球は回っている〟と言って変人扱いされたガリレオの気持ちがよくわかる。

わかるぞ、コノヤロー!

## 反論も悪口も大歓迎する 正々堂々と来てみやがれ

『週刊朝日』にコラムを書くことがオレにとってメリットがあるのか? 初めにこの仕事の話を聞いたとき、正直、疑問であった。これがたとえば『週刊プレイボーイ』、たとえば『ホットドッグプレス』なら、考えられない話でもないが、読者のほとんどがおっさん中心の『週刊朝日』、う〜ん、ましてや一本書き上げるのに三、四時間かかり、おまけに挿絵まで自分で書き、はっきり言って五万円ポッキリ、けっしておいしい話ではない。そこでオレは書きたいことを好きにガンガン書いて、もし少しでも文句を言われたらケンカしてやめてやろうと思っていた。

「五万円で文句言われてやってられるか!」

と思っていた。

ところが、この間『週刊朝日』に届いた感想文&ファンレターを読んで(はは〜ん、そ

ういうことか）とチョット気が変わった。

その手紙はオレがいままでもらったファンレターとは一味変わっており、年齢層もやや高く、ミーハーな内容もほとんどなく、しっかりとした意見で、オレは少し感動してしまったぞ、コノヤロー！（このコラムの報酬は五万円だけではなかったのだ）。そう、そうなのだ。普段オレがもらっているファンレターのほとんどが内容のうっすい、うっすいウンコちゃんレターなのである。

「好きです」

と書き綴ってあったり（手紙をもらった時点で好きなのは分かっとる！）、最近会った友達とのおもしろかった話（オレ様がそんなもん読んで笑うか！）、昨日見た夢の話（オレに占えってか！）、「サイン送ってください」（ワシのサインはパンフレットか〜）、結婚しないんですか？（少なくとも君とはネッ!!）……。君らとはやってられへんわ〜!! そしていちばん困りもんなのが、「ワタシをあげる」的ないわゆる抱かしレターなのである。オレは顔を見たことがない奴に電話するほどこわいもの知らずではない。せめて写真ぐらい入れとけ（どないやねん）。

まぁ、とにかく、もっと番組の感想とか意見を書いてほしいものだ。

『週刊朝日』に送られたという手紙の全部が全部、好意的な意見だったのは、少し歯ごたえがなかった。もっともっと反論の手紙も送ってほしい。オレは、筋の通った反論、悪口はおおいに歓迎するし、そんなことで怒るほどバカではない。ただ、電話番号はハッキリ書いて、正々堂々と悪態をついてもらいたいものだ。あんまりむかついたら、電話してやるぞコノヤロー！（といって、電話が欲しいがために無理から悪態をつくのはやめてくれ）

まぁ、そんなこんなで今回九回を五里霧中で迎えたこのコラム、やっとファン層の幅が広がるというメリットが分かり、あえて『週刊朝日』でよかったと思えるようになり、五万円も安くないのだということに気づいた（別に五万円の原稿料を上げてくれと言っているわけでは、ないわけでもない）。これからもガンガン飛ばして行くので、振り落とされないようにシッカリつかまってろよ、ベイビー・ウォンチュー――。

## 笑いに魂を売った男は毛ジラミ程度で動じない

先日、某女性週刊誌に、オレのスキャンダル的な記事が出ていた（雑誌名を伏せることもないのだが、売り上げに貢献することもないので、あえて伏せる）。

〝ダウンタウンの松本〟とはっきり書いているわけではなく、〝関西超人気若手お笑いタレント〟という書き方で、乗っている車の色など詳しく出ており、チョットしたファンでも分かるような書き方であった（関西超人気若手お笑いタレントという時点で、事実上、オレか浜田しかいないが。ハッハッハッ）。

「私に毛ジラミをうつしたバカヤロー！」と大見出しで、オレと寝たという女の話をもとに書いてあった。今回はそのことについてハッキリしておきたい。『女性セブン』（あっ！書いてもうた）の奴は、心して読んでいただきたい。

オレは、怒っているのだ！　あの記事が全部ウソだから怒っているわけではなく、〝ダウンタウンの松本〟とハッキリ書かなかったことに怒っているのだ！　なぜオレの名前を書かなかったのか。ちゃんとした証拠がないからなのか。

理由はどうあれ、オレは、名前を出されても怒りはしなかっただろう。なぜなら《どうでもよいこと》だからだ。過去に二回、毛ジラミになったこともあるし、尿道炎も一回ある。しかしそんなことは、恥ずかしくも何ともない。げんにテレビでも、

「毛ジラミうつされた」

「チンチンから膿《うみ》出てきた」

と自分で言った。そんなアクシデントは、むしろどんどん笑いに変えていくスーパーコメディアンなのだ。アイドルではないのだ。『女性セブン』が名前を伏せたということは、

毛ジラミ程度のことで怒ったり、恥ずかしがったりする器の小さいコメディアンだと思われている気がしてむかついたのだ。

基本的に、オレにはタブーがない。《これをやったらシャレにならん》《こんなことを言ったらシャレにならん》ということがないのだ。もっともっと大きいウソを実名で書いたらどうだ。毛ジラミくらいで鬼の首を取ったかのように言われても、否定する気にならんし、リアクションのとりようがないではないか。

普通のタレントが逃げるようなスキャンダルでも、オレには全然効果がないのだ。自分のイメージなんてどうでもいいし、髪形とかファッションなど二の次、三の次、ましてや私生活のことを悪く書かれても、〝芸人松本〟としては、全然関係ないことなのだ。

笑わしてなんぼのオレにとって、毛ジラミは天からの贈り物だ！

必要とあらば舞台でスッポンポンにもなるし、ウンコだってしよう（そういえば、修学旅行の夜、笑いがとりたくて床の間にウンコしたなぁ〜）。極端な話、笑いになるなら、オヤジが死んだらその死体で腹話術をしてもいいと思っている（まぁ、だれも笑わんでしょうからしませんけど）。

そんなこんなで『女性セブン』の人たち、分かっていただけたでしょうか。オレをあんまりなめてもらっては困ります。オレはダウンタウンの松本、笑いに魂を売った男なのだ！

# 下ネタで苦情言う奴らはシェルターで子供育てろ

世の中にはヒマなやつが多いのか？

テレビの仕事をしているといろんな苦情の電話が局にかかってくる。その中でも、主婦からが一番多いらしい（やっぱりヒマなのだ）。

テレビ局にわざわざ電話をかけて、イチャモンつけることが、テレビをどんどんつまらなくしていることに気づいていないのだ。

世の中、ほかにいっぱい間違っていることがあると思うが、でも、まぁヤツらの気持ちも分からないでもない。

テレビ局にチョイチョイと電話して、一方的にしゃべり、相手はただただ謝るだけ。お手軽にストレスが解消でき、そのうえ正義の味方気分になれる、というおまけ付き。一回やったらやみつきになってしまうかもしれない。

しか～し、イチャモンは許せない。

昔（いまでもあるのか？）、相方の浜田がつっこみという立場上、素人の頭を殴ったりすると、電話がかかってきた。

でも、チョット待ってくれ。浜田の手はあなた方同様、骨に肉が付いていて、その上を皮膚でコーティングしているだけの普通の手である。超合金でも、ツメに毒がぬってあるわけでもない。

大体、ボケたら（笑いを取ったら）ツッコまれる（どつかれる）というのがワンパックになっていて、笑いを取った以上、どつかれるのは宿命で、ボケ逃げは許されない。たとえ素人であってもだ（一回、二回どつかれたくらいでガタガタ言われるなら、毎日、何十回とどつかれているオレの立場は？）。

次に多いのが、「子供がマネしたら、どうしてくれる」というイチャモン。イジメにつながるということらしい。前にジミー大西を地面に埋めて、頭の横をオレと浜田がローラー車で通り抜けるというのをやったとき、この手の電話がかかってきた。

ハッハッハッハッ、マネしてみろ！（お前の家は大金持ちか？　&お前の子供はおっさんか？）もし、これをマネする子供がいたとしたら、ある意味ですごいことだと大いにホメてやりましょう。

そしてなんといっても一番多いのが、やはり下ネタであろう。ゴールデンタイムにエッチっぽいことをやると、ガンガン電話が来る。

「子供にみせられない」「子供に悪影響」……。

そしたら何かい？　オレが付け乳をしてテレビに出ると、あんたらの子供はおかしくなるのか？　ベッドの上でもだえると、あんたらの子供は鼻血ブーになってしまうのか？

子供というものは、あんたらが考えているほどバカではない。テレビと現実をちゃんと区別して考えられる生き物である。

もし大人になって変な方向に走ったとしても、それはテレビの影響じゃなく、きっとそういうヤツだったのだ。

それでも子供への悪影響が気になるなら、まずいちばん身近なあんたらが、家でセックスするな！　それが無理ならシェルターでも造って、そこで育ててろ、バーカ！

## 少年時代のオレを救った笑いと毛ジラミについて

お笑いの世界に入って十二年。気づかないうちに少しずつ売れて行き、ちょっとしたスターになってきた（もちろん、現状に満足してるワケではないが）。売れれば売れるほど、

人の足を引っ張るヤツ、邪魔するヤツが出て来るものだ。

先日の〝毛ジラミ事件〟などは、まさにそれで、根も葉もないことを書き立てられ、あまりのバカバカしさに否定する気にもならん、とこの連載でも書いた。

ただ、よく考えてみると、〝毛ジラミ〟はよいが、〝無理やりやられた〟というのが引っかかった。オレにも、親兄弟がいるのだ。この人たちのためにもハッキリさせないといけない。第一、そのイメージは〝笑い〟の邪魔になる、と記者会見する気になった。

「抱き上げられベッドにドリャーッ」（オレの家にベッドはない）、「お酒を勧められ」（オレは酒が飲めないし、もちろん置いてない）。

『フォーカス』を見た人は分かると思うが、その女が写真に顔を出していた（オレは面食いだ！）。

『フォーカス』に、堂々と顔を出せるなら、なぜオレの前に出て来られないのか。一〇〇パーセント、ウソだからだ！　くっさいくっさいうんこちゃんなのだ！

オレは幼いころ、何を隠そう、イジメられっ子だった。幼稚園のときのプールの時間、自分の水鉄砲を取られても、ただ泣いているだけ。先生に泣いている理由を聞かれても答えられないほどの気の弱い子供であった。小学校に上がってもそれは変わらず、男の友達などまったくいなくて、女の子とばっかり遊んでいた（いまもそのへんは、あまり変わっていないが）。

あれは、確か小学校の二年生ぐらいのときだったと思うが、おやじが花月（吉本の演芸場）のチケットを会社でもらって来た（そのときのおやじはチケットが手に入る仕事をしてたらしい）。

漫才、落語、吉本新喜劇、それこそ毎月のように家族で見に行った。そうすると、目も耳も肥えてくる。テレビと違い、生で客の反応を見ているので、

「はは〜ん、こいつらこのネタは受けているが、ほかのネタはもうひとつかな」

とか、子供心に分かってくるものだ。

そうなるとチョットしたお笑い評論家で、学校でもポツリ、ポツリとギャグをかますようになった。関西という土地柄か、おもしろい奴というのは尊敬されるところがあり、気がつくと、だれもオレをイジメなくなり、周りに人が集まって来るようになっていた。

と、まぁそんなこんなで、オレは見事にイジメられっ子から足を洗うことができたのである。家は貧乏、勉強最悪、スポーツ苦手、そんなオレを助けてくれたのが「笑い」なのである。

オレから笑いを取ったら何も残らない。この先、オレが芸能界にいる以上、きっとこの手のウンコ人間がオレの足を引っ張ろうとするだろう。ただし、ほどほどにしとけよ！〝笑い〟を取られたオレは、何するか分からんど！

# 毛ジラミで笑いをとるとき
# オレも少しは傷ついている

ヤバイ！ ヤバイのだ！ 最近、周りの人間にも言われ、自分でもうすうす感づいていたのだが、オレの顔が〝やさしく〟なってきたのだ！ 考えてみれば、オレも今年で三十歳。あきらかに〝おっさん〟である（AV見てる場合でもないなぁ～）。

同級生のほとんどは、嫁も子供もしっかりいる。人間として丸くなるのも当然のことだろう。しかし、世間であたり前でも、オレにとっては大問題である。もっと、ギスギス、トゲトゲしく、体中から毒素を発散している芸人、それがオレの理想なのだ！

売れれば売れるほど足を引っ張るヤツが出てくる、と先週書いたが、売れれば売れるほど、毒がなくなるというのも否定できないだろう（オレもその域に達してきたのか）。

売れてくると、まずハングリーさがなくなる。新人のころ、カネもなく、仕事もなく、会社（吉本）からも客からも、虫ケラのような扱いを受け、家に帰れば親兄弟から陰毛を見るような目で見られ、「いまに見とけよ～」と、ヤツらを見返すつもりでやってきて、見返してしまったいまとなっては、逆に恩返ししてしまうありさまだ。

　昔冷たかったヤツらも、売れるとコロッと態度が変わり、チヤホヤしだす。オレはオレで「まぁいっか〜」になってしまう（オレも甘いのう）。気がつけば、目つきがやさしくなっている。

　テレビで人の悪口が言いにくくなってくる（特に芸能人）。売れてないころは、聞き流してくれたことも、「チョット、待たんかい」になるのだ。

　面識のない人間の悪口は言えても、一、二回会って、言葉なんかを笑いながら交わしてしまったら、なかなか言えるもんではない。会う前は嫌いだったのに、会ってみると結構いい人だったりすることが多く、会ってみて、もっと嫌いになることは、ほとんどといっていいほどないので困ってしまう。

　この連載にしてもそうだ。いろんな芸能人に会うたびに「毎週読んでるよ」なんぞ言われると、だんだん悪態をつきづらくなってくる。

　以前、テレビで「ダウンタウンは人の悪口で笑いを取るから卑怯だ」と素人が言っていたが、それは間違いだ。人の悪口で笑いを取ることが、いかにテクニック＆根性がいるか理解していただきたい。

　笑いというのは、すべてがそうだとは言わないが、だれかを傷つけて成り立っていることが多い（自分もふくむ）。

コントでハゲネタをやって、みんなを笑わせても、ハゲは、しっかり傷ついている。毛ジラミで笑いを取ったら、自分も少し傷ついている。

たとえば、誰かをつっこむときに「お前は高木ブーか！」と呼びすてにする。この場合「さん」づけすると笑いになりづらい。しかし、呼びすてにされた人はムッとするかもしれない。結局、どのみち、だれかを敵に回すのだ。それなら、思う存分敵に回してやろうではないか。

トゲトゲしく、体中から毒素を発散してやろう！　来年のいまごろ、デビュー当時の顔つきになっていることを願って、ペンを置こう。

## ババロア頭の君に告ぐ プロの仕事はこれじゃい

「彼は運動神経抜群、何でもこなすスポーツマン」などというセリフを聞くと、何か疑問が残る。それって、なんにもこなしてない、中途ハンパな奴なんじゃないのか？

テレビ界では、四月と十月が衣替えの時期になる。ダウンタウンは計五本のレギュラーで、とりあえず半年間やっていくことにした（オレは三本くらいが理想なのだが）。

オレのように番組の会議にも顔を出し、あーでもないこーでもないと、それこそ一本入魂のタレントにとって、五本のレギュラーが限界なのである。そこへ〝タレントの〇〇はレギュラー十四本の超売れっ子〟などと言われると、そいつの後ろに回り込み、必殺技をかけたくなるほど、不快な気分になる。

はっきり言おう、レギュラーの数で売れているか、忙しいかを判断するのは大間違いだ！　そんな奴の番組なんて二本撮り、四本撮りも可能である。大忙し？　じゃかましいわい！　普通のサラリーマンのほうが間違いなく忙しいわ、このシワシワキンタマ！

百歩譲って忙しいとしても肉体だけで、精神的なものではない。一切使ってないツルツル脳みそじゃい！　そいつの脳をこっそりババロアに替えても、他人はもちろん、本人も気づかんわい。

例えば、「ダウンタウンのごっつええ感じ」。一時間番組を一本撮るのに、丸二日かかっている。撮り終わってもすぐに帰るワケじゃなく三、四時間、来週の打ち合わせをそこまでやらんでもというくらいして、帰る時にショートコントの台本の束を六十本くらいもらい、家でさらにチェック、三本くらいにシボり、四本ほど考え、計七本を現場でさらに練る。

NTVに行けば、「来週の『ガキの使い』、オープニングどうしましょう？」……二時間ほど考える。「発明将軍」でも、「発明のコーナーどうしましょう?」……二時間ほど考える。「ダウンタウンDX」(読売テレビ)なら、「ゲストは○○さんやねんけど、どうしよう?」……一時間ほど考える。そこへ特番が入って来て、プライベートの時間がどんどん削られ、頭から仕事のことが離れる時はない(もちろんスタッフ、作家もがんばってますよ、念のため)。

レギュラー十四本の奴よ、分かったか! これがプロの仕事なのだ。まぁ、お前もそれだけ仕事がくるのだから、ある程度重宝がられていることは確かだ(でも、売れているわけじゃないぞ)。ただ、自分から「十四本やってます」などと、自慢げにアホ面して言うなばかたれ!

〝僕は中途ハンパなタレントです〟〝代表的な番組はありません〟〝頭の中、カラッポです〟と言っているようなもんではないか!

実名で書いてもよいのだが、本人が読めば、さすがに自分のことだと気づくだろう。いくらババロア頭でも。

キミにもう一つ忠告しておこう。船に乗っているオレは、いつか目的地に着くだろう。しかしキミは、目的地に着くのかな。その、十四個の浮輪で……。

それより前にキミに目的はあるの?

# オレはSMかもしれない だから毛ジラミも終わり

オレはギャグ（流行語）が大キライだ！　無名のお笑いタレントが名を売るには、ギャグを作るのが一番の近道であることは、まず間違いないだろう。困ったときとりあえずギャグがあれば、その場を切り抜けることもできる。

しかし、それってチョット違う気がする。

お笑いの基本は意外性であり、「出るぞ出るぞ、やっぱり出た！」というのは、個人的に好きじゃない。

オレにも気に入ったフレーズがあり、何度か使っているうちに、だんだんはやりだし、ギャグになりかけたこともある。でも、それを察知した瞬間、二度と使わないように心がけている。ましてやそれが台本にのることになんぞなれば、吐き気すら催す。

ギャグは、はやればはやるほど、自分の意思で言っているのでなく、世間の奴らに言わされているようになってしまう。自分のしゃべることを世間の奴らに決められるのなんて、

イボぢだ！（なんのこっちゃ）

周りの人間は「なぜはやりかけてるのにやめるの？　もったいない」なんて言うが、大きなお世話じゃい！　そんなもんなくてもオレには笑いを取る方法がいくらでもあるのだ（そう言えば、毛ジラミも、もうええよな）。

結局オレという男は、楽をして売れることを好まず、自分をつらい立場に置いて、どこまでやるか見てみたい、ＳＭの気があるのだろう。日テレでやっている「ガキの使い……」という番組でも、本番前に何も考えず舞台に出て行き、まず大ウソをつく。浜田につっこまれて、初めてその場で言い訳ボケを考える。それがはまって爆笑になったとき、〝オレはいま、生きているんだー〟と実感できるのだ（いや、ほんと）。即興のアドリブボケで笑いを取るほうが、オレの性に合っており、ギャグ（流行語）は、たんに逃げているだけのような気がしてしまう。

何においても自分にプレッシャーをかけるということが大事なのではないでしょうか？（パチパチパチ）

新人のころから、これをやったら売れると言われると、それをやらずに売れてやろうと思い、こんなことをしたら売れないと言われれば、ぜひ、それをやって売れてやりたくなるのだ（あまのじゃくと言われればそれまでだが）。〝松本は、よく時間に遅れる〟というのは、芸能界の定説になってしまった。確かに、時間に遅れて来るのはよいことではない。できるだけキチンと来るようにしなければならない。ただ（言い訳になるんかな?）、時間に遅れて来ることで、自分にプレッシャーをかけ、遅れて来たからにはそのぶん、仕事は人の倍さしてもらいます（やっぱり言い訳?）。

まぁ、何はともあれ、自分にプレッシャーを与えることの必要性をみなさんも考えてみてはいかがでしょうか?

もしかすると自分の中にあるパワーを最大限に引き出してくれる天からの授かり物ではないだろうか。

P・S　皆様からのたくさんのお便り、どうもありがとうございます。当選（返事）は発送をもってかえさせていただきます。

# おもしろいやつの三大条件 ネクラ・貧乏・女好き

先日、友人であり放送作家（ダウンタウンの番組すべてにかかわっている）の高須が、「作家集団を作りたい」と言い出した。世の中には、まだまだおもしろい奴がいっぱいい

るというのだ（放送作家を目指しているあなた！　高須君にご一報ください）。

雑誌や番組を通じて募集すれば、たくさんの人が集まるだろう。問題は、その中からどうやって才能のある奴を見つけ出すかである。

①おもしろいと思うコメディアンは？　②おもしろいと思う番組は？　③その番組のどこがおもしろいか、この三つの質問で、おもしろいことと、そうでないことを区別する能力は分かる。しかし、おもしろいことを作る能力は、少々質問したくらいでは分からない（もちろん、それはお笑いタレント志望者にも同じことが言える）。

しかし、おもしろい奴の条件のようなものはきっとあるはずだ、オレはオレなりに考えてみることにした（作家・コメディアンを目指しているあなたの参考になればいいと思いまして）。

①クライ奴――意外に思われるかもしれないが、おもしろい奴というのは自分一人の世界を持っており、実はネクラな奴が多い。夜中に一人でクレージーなことを考えていたりする。人前でしゃべれないほどのクライ奴にコメディアンは無理だろうが、何にしても、おもしろい奴というのはどこか覚めている奴なのだ。逆に、明るい奴というのは楽しい奴で社交的だが、笑いの内容は薄く、あきられやすい。身内を楽しませるだけで終わってしまう。〝楽しい奴〟が自分を〝おもしろい奴〟だとカン違いしていることが非常に多いので、困ってしまう。あなたの周りにもいっぱいいるのではないでしょうか。

②家が貧乏――これは、あくまでもオレがそうだったから思うのかもしれない。とにかくオレは幼いころ、おもちゃを買ってもらった記憶が全くない。遊び道具のない子供は、自分でそれを作ろうとする。結局、創造力が豊かになり、頭を使って遊ぼうとするのだ。昔、ダイヤブロックとかいうおもちゃがあり、〝子供の創造力を豊かにする〟とかいう触れ込みでCMをやっていたが、そのダイヤブロックを何で作ろうかと考えていたオレは、一歩上をいっていたのではないだろうか。ただ大金持ちになると、逆にいろんな意味で余裕があり、けっこう向いているのかもしれない。

③女好き――〝好きこそものの上手なれ〟というが、女好きの奴は口がうまい。そう、しゃべりが達者なのである。例えば、街へ出てナンパをする。初めて会った女を数時間のうちにSEXまで持ち込むとき、かなりのユーモアとサギ的な要素が必要になってくる（ある意味、芸人はサギ師である）。オレも昔、よくやったものだ（昔にね）。

その他、ガンコ者、コンプレックスがある、などなど考えてみると、このおもしろい奴の条件をすべて満たしているのはオレだけかもしれない。そうか、やっぱりオレを抜ける奴なんぞ、この世にいないのだ。な～んや、そうか、ハッハッハ。

# この松本様があえて問う サッカーがなんじゃい！

いや〜、日本国じゅうサッカー、サッカーでタイソウ盛り上がってましたなぁ。テレビの視聴率も五〇パーセント近くまでいっとりました。ただ、この数字、考えようによると半分の人は興味がないということで、心の中で「しょうもない」と思っている人間も間違いなくいるのだが、いまの日本でそんなことを言うと、まるで非国民のように言われかねない（事実、私もそう言われた）。

言いたくても言えない人のために、この私、ダウンタウン松本様が言ってやろうではないか。「君たちは何を浮かれておるんだ！」「サッカーがなんぼのもんじゃい！」

せめて盛り上がるなら、ワールドカップ優勝にむけて盛り上がりなさい。予選でそんなに興奮してどうするの？　夢は、もっとデッカク持とうぜ、ウンコちゃん。

選手の中にも不愉快な奴が多くて、日焼けサロンに行ってる奴とか、髪を染めてる奴、プレー中に襟立ててる奴（そら、イラクに勝てんわなー）。そんなヒマがあったら、もっ

ともっと練習しないとダメよ。

応援してる奴もなに考えとんじゃ、サッカーが好きなら好きで、それでいいではないか。あまりにも韓国負けろ！　イラク負けろ！　の気持ちが強すぎる。テレビの解説者までそういう発言をしてやがる。見てると、だんだん悲しくなってくる。

だいたい、負けたことがなぜそんなに悲しいのか、オレには分からない。小学生のころ海で溺れて、いまのヴェルディ川崎の○○選手に助けてもらったとかいうなら分かる。だが、赤の他人のことで喜んだり、悲しんだりできる君たちは、なんと単純な構造なんだろう（これは、サッカーに限ったことではないが）。

そう、そうなのです。ハッキリ言って、私はスポーツが嫌いなのです（ボクシング以外）。理由はいっぱいあるが、スポーツ選手は言い訳が多すぎる。監督が悪い、天候が悪い、チーム状態が悪い、マシンが悪い、あげくのはてに、調子が悪い……アホか？　調子が悪いのは、全部ひっくるめておまえが悪いんじゃい！

世の中、いろんな職業があるが、そんなことがまかりとおるのはスポーツ選手ぐらいだ。だいたい、日本人は（外国もそうなのか？）スポーツ選手に甘すぎるのではないでしょうか。（パチパチパチ）

オレら芸人にも、もう少しその気持ちを向けていただきたいものだ。たとえば、漫才がまったくウケなくても、「今日はたまたま調子が悪かったのね♡」ぐらい言ってみやがれ、

コノヤロー！（スベリ知らずのオレには、関係ないけどね）

昔から思っていたことなのだが、普通のニュースとスポーツニュースを一緒にするのをやめていただけないでしょうか？　深刻な顔で、人が殺されたニュースやコメ不足のニュースを読んだキャスターが急に、ニッコリ笑って「お待ちかね、次はスポーツです」……どないやねん！　さっきまでの顔はウソなんかい？

まぁ、何はともあれJリーグの選手のみなさん、次のワールドカップに向けてがんばってください。それをガンバレ、ガンバレと応援するみなさん、おまえらががんばれ。

## ハリウッド進出だって!?　おしりペンペンじゃい！

オレには、昔から動物的直感のようなものがある。仕事の話にしてもそうで、マネジャーに「こんな話がきてるけどどうや？」と聞かれたそのとき、頭の中で〝やる〟〝やめる〟という信号のようなものが下される。

〝やめる〟と出たとき、もちろん断るようにしているのだが、人付き合いやその他の事情でどうしてもやらなければならないことがあり、仕方なく引き受けることが多々ある。すると決まって結果がよくない。後で「やっぱりやめとけばよかった」と後悔してしまうのだ。

新聞に出た〝ダウンタウン、ハリウッド進出〟の記事がまさにそれである。一カ月ほど前、九四年の正月に日本で封切られるハリウッド映画「ロビン・フッド　キング・オブ・タイツ」のCMをやってもらえないかという話がきた。出演はもちろん、企画、構成も松本さんにお願いしたいということであった。

確かに悪い話でもないのだが、このとき、頭の奥で〝やめろ〟という指示が出た。オレは「やめときます」と言ったのだが、相手も「ハイ、そうですか」とは言わない。「なんでだ?」と聞いてくる。このときオレはいつも困るのだ。まさか「頭に〝やめろ〟という指令がきました」とは言えないので、とっさに適当な言いわけを考える。「ヒマがない」「制作費が安すぎる」「見たこともない映画の宣伝をするのは、いろんな意味で失礼になる」など、まぁ、とっさに考えたわりには筋の通った理由でその場を切り抜け、相手も「しゃーないな」と諦めてくれた。

ところが、三日後ぐらいに「やっぱりやってほしい」と言われ、迷惑かけっぱなしの吉本興業大崎洋チーフマネジャーの顔を立てる意味で、渋々OKした。

そして、何日後かに新聞を見てみると、その記事なのである。そのCMをハリウッド側に見せて、もし〝おもしろい〟となったら、ダウンタウンがハリウッド映画に出るのも夢じゃないということらしい……やっぱりオレのカンが当たった。怒りの炎がメラメラと燃えてきた。待て！　待て！　待ったらんかい！

オレ一言でも「ハリウッド映画に出たい」言うたか？　夢じゃない？　人の夢、勝手に決めるな、シワシワキンタマ！「〝おもしろい〟ということになれば……」お前らは笑いのうえで、この天才松本より上なんかい？　金髪野郎！

だいたい外国嫌いのオレが、なんでアメリカに行かなアカンのじゃい（海外に行くのがイヤで、この前パスポート破って捨てたったわい！　ガハハハ）。オレの才能がほしかったら、お前らが日本にこい、このノータリン（英語）。だれでもハリウッドで喜ぶと思うなよ。オレにとってそんなもん、おしりペンペンのやわらかうんこブチューのケツ毛サワ～じゃ、バ～カ！

そんなこんなで「やっぱりやめじゃい！」と言ってやろうと思ったのだが、そういうわけにもいかず（まぁやめようと思えばやめられるけど）、CMは撮ることにした。しかし、その撮影現場でも一波乱あったのだった。続きは次回……。

# ソニー・ピクチャーズめ週刊朝日に書いたったゾ

〈前回のあらすじ〉
ハリウッド映画に出たくて引き受けたワケでもないのに、新聞にそんな記事が載って、怒り爆発のオレだったが、CMの仕事は気持ちを切り替えてやることにした。そこでまた怒ってしまった。

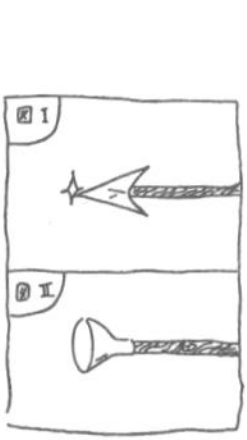


まずオレの考えたCMプランを書こう。

森林の中で、オレと浜田がその映画（ロビン・フッド　キング・オブ・タイツ）を見ながら「こんなん日本で流行《はや》るか?」「流行らんやろう、ハッハッハッ」と笑っていると矢が飛んで来て、二人の頭に刺さる。ゴクわかりやすい内容である。映画をホメたりしないというのが、この仕事をOKする条件であった。なのに間に入っているソニー・ピクチャーズ　エンタテインメントの人間が、思いもかけないクレームを当日になってつけてきたのだ。

クレームをつけられる前から、オレは（なんかおかしいなぁ）と思っていたのだが、オレが絵コンテで図Ⅰのような矢を書いたのに、図Ⅱのような矢が現場に転がっていたのである。

その男は、図Ⅱの矢を使ってほしいと言うのだ。ムカムカッときたのだが、できるだけ自分をおさえて「なぜですか？」と聞くと、最近のニュースでジョギング中の主婦が矢で撃たれるという事件があり、このCMはそのことを連想させる恐れがある、できれば矢先を吸盤にしてほしいというのだ。

ブチッ、ブチブチ（堪忍袋の緒が切れる音）㊣「あんたらがオレの好きにしてええ言うたんちゃうんかい！」㊚「で、ですから普通の矢と吸盤の矢二つ撮りまして、こちらで検討するということで……」㊣「どうせ吸盤のほう、使おうと思とんねんやろ！」㊚「そ、それは……」㊣「もうえぇ、帰る！」㊚「ちょっと待ってください」と言って向こうのほうでヒソヒソと約五分。㊚「わかりました。最初のパターンでお願いします」……と、まぁそういうワケで、CMのほうは無事（？）撮り終え、帰り際、㊚「いろいろとすいませんでした」㊣「いえ、こちらこそ」となったが、オレは心の中で（このことは絶対、週刊朝日に書いたるからなぁ）と思っていたのだハッハッハッ（小学生の「お母ちゃんに言うたるからな～」にチョット似てる気もするが）。

仕事を始めて十二年。思いもかけない理由でNGになったことは多い。ただ、今回のケースはあまりにヒドイ！　好きにしてくれと言っておきながら、あの生き物は何を言うとるんだ、バカタレ！　お前らの三流論理が、このオレに通用すると思うなよ！　このCMであの事件を連想するヤツなどおるワケないじゃろ。百歩譲っていたとしよう。それならロビン・フッドの映画の上映もやめないといけなくなりますよ、違いますか？

そんなこんなで、やっぱりオレの最初の予感どおり、この仕事は断るべきだったのです。それから、ソニー・ピクチャーズの方々に一言、言いたい。そんなおかしな理由で「はい、そうですか」と素直に聞くオレなら、もっとダウンタウンは売れとるわい。

## オレだって人をほめるゾ　お笑い界のいい男、4人だ

お前は、自分以外に認められる人間がおらんのかい？　この連載を読んでいる多くの人が、その疑問を持っているのではないでしょうか。

確かに、オレは自分自身に惚れ込んでおり、生まれ変わっても自分でありたいと思って

いる男である（単なるナルシシストじゃないぞ）。

しかし、こんなオレでも認められる人、尊敬に値する人は少数だがいるのだ。今回は、人の悪口、自分の自慢は少しお休みさせていただいて、人をほめるということを味わってみようと思うのである。

オレにとっての認められる人間というのを、男ットコ前（おっとこまえ）と呼ばせていただきたい。もちろん、それはルックス、性格などではなく、才能、生き様が男ットコ前なのである。

では、まず最初の男ットコ前は、「島田紳助」。動き（視覚）で笑わす芸人と、しゃべり（聴覚）で笑わす芸人がいるとしたら、この人は間違いなく後者である。聴覚で笑わすほうが男ットコ前だと思え、オレはこのオッサンを心の師と仰いでいる。なぜ、おもしろいと思うお笑いタレントの上位に上がってこないのか、不思議で仕方ない（やっぱり世間はアホが多い）。もしこの世にテレビがなく、ラジオだけだったとしたら、このオッサンは間違いなく天下を取っているだろう。あの頭の回転の速さは、まさに男ットコ前なのである。

「志村けん」。オレはドラマも出ないし、歌も出さない。お笑い一本で勝負する。そのお手本がこのオッサンである。本当にお笑いが好きで、お笑い以外は考えられないという一途さは、なんて男ットコ前なのだろうか。いつまでも浮気しないでコントをやり続けてもらいたいものである。お笑い男ットコ前職人・志村けんなのである。

「大竹まこと」。あの破壊力、パワーはやはり男ットコ前だ。コメディアンというのは、どこか犯罪者のにおいがしたほうがよい（いや、本当）。そういう意味でも、このオッサンは何をしでかすか分からない。いや、しでかした後のような危険さがあり、畳の上では死ねないような男ットコ前さが感じられる。オレの大変好きな、「鳴かぬなら殺してしまえホトトギス」タイプの男ットコ前である。

そして、最後に紹介するのが、オレの隣の男ットコ前「浜田雅功《はまだまさとし》」である。芸人は、天才タイプと努力タイプがいる。オレは、もちろん天才タイプ（聞きあきたってか？）。アイツは、努力タイプである。コンビを組んで間もないころ、「あそこのコンビはツッコミ（浜田）がヘタだ」というのを、しばしば耳にした。もともと負けず嫌いの性格であるアイツは、先輩漫才師のツッコミを見て、それこそ遮二無二、勉強したのだろう。それに引き換え、いまの若いコメディアンときたら、ジャンプしてつっこんだり、回し蹴りしてつっこんだり（なんじゃそりゃ）。そんなことでは、いつまでたっても浜田は抜けないよ、以上。

今回はページ数の都合から、お笑い男ットコ前に絞ったが、また機会があれば違う世界の男ットコ前もやってやるぞ、コノヤロー！

P・S　やっぱり悪口のほうがスラスラ書けるなぁ。

# AV女優であって
# AV女優ではない!?

オレは天狗だ！　人の意見をまず聞かないし、なんでもかんでも自分で決めてしまう生意気な奴で、態度もそこそこデカイかもしれない。ただ、売れてくるにつれて、だんだん天狗になっていく奴と同じにされては困ります。天狗歴が違うのです。オレは新人のときから、まぁ、最低、いまぐらいの位置にくることは予想できていたし、ペコペコするのが大嫌いなので、そうしてきたのです。ですから、この連載を読んだ方は、「あいつは最近天狗だ」という言葉から、最近を取ってください。

オレは自分の地位が上がったからといって、態度が変わるような男ではないということだけは分かってもらいたいのです（近ごろそう言われているような気がしたので書いてみました）。

そこで今回は〝売れてから態度の変わる奴〟というテーマであります。こういう人間は最低のうんこ人間であり、たとえば、ＳＥＸするまで優しかったのにＳＥＸが終わると急に冷たくなる男と同じくらいのうんこ度である（ちなみにオレなんてヤル前より後のほうが優しいのよ♡）。

芸能界で成功するのは大変なことであり、いまや大物と言われる人でも、新人のころ、キッツイ役をやっていたりする。それをいまになって急に隠したりするのも〝売れてから態度の変わる奴〟である。昔、「流星王子」をやっていたことを全然隠さない梅宮辰夫はカッコイイと思う。

女で非常に多いのが、裸でデビューして売れてくると「もう脱ぎません！」（まぁ、五十、六十まで脱ぎ続けられても困るけど）。

いや、別に「もう脱ぎません！」はよいのだが、今度は脱いでいたことを隠そうとするのが、オレはどうも気に食わないのである。〝それがあったからこそいまがある〟という非常に簡単なことが分かってない奴が、なんて芸能界には多いのだろうか。オレは怒りを通り越して悲しくなってしまう。

この間、オレのやっている深夜番組のゲストがAV女優であった。いや、厳密には、もうAV女優ではないらしく、元AV女優。本番前の打ち合わせでも「AV女優と言わないで、セクシーアイドルと言ってくれ」「AVの話は、一切しないでくれ」ということだ。まぁ、オレが直接打ち合わせに参加したわけではないので、それが本人の意思なのか事務所の考えなのか分からないが、なんかそれっておかしくないか？

いくらもうやめてると言っても、レンタルビデオ屋のアダルトコーナーには、そいつのビデオがたくさん並んでいるし、テレビを見ている人も、AV女優という目で見ているのではないか？　プロ野球の選手がゲストで来て「野球の話はやめてくれ」と言っているのと同じで非常にやりにくい。よっぽど本番中、AVの話をガンガンしてやろうかとも思った。どうせ生じゃないし、カットされるのがオチなのでやめたが……。

もう一度言おう。〝それがあったからこそいまがある〟そんな君には、松本清張《まつもとせいちょう》の『砂の器』をお薦めしよう。そして、オレの番組に二度と出るな！　出られたほうの迷惑を考えろ、バーカ。

## いま、現時点で、いったい誰が日本一おもしろいのか？

オレはなぜボクシングが好きなのだろうか？　まぁ、基本的に好きな物に理由などないのだが、一つは世界を舞台にしているところで、日本のスポーツの中で唯一、外国に引けを取っていないような気がする（先日、仕事で辰吉丈一郎《たつよしじょういちろう》に会ったが、かっこよかった

なぁ。オレは彼の復帰を心から願ってます。オレにできることが何かあったら、いつでも電話をしてください)。

そしてもう一つは、強い者が勝ち、弱い者が負けるというハッキリとしたところ(そうでもない試合もあるが)。KOした者の勝ちなのだ。一回コッキリの勝負なのだ。

そこへいくと、野球はなぜ、一シーズンに何回も同じチーム同士で戦うのだろう? 優勝、優勝と騒いだところで、結局どこで区切るかだけのもんとちゃうん?

考えてみると、オレはボクシングが好きというより、一時間足らずで白黒ハッキリするというところに憧れているのだろう。

それに比べて、お笑いは分かりにくいったらありゃしない。自分より明らかに劣っているヤツを「ライバル」「ライバル」と言われ、いまに見てろと思いながらも、世間のヤツらに分からせるのに二、三年かかってしまう。かと思えば、ちょっと目立つ新人が出てくると、すぐ「ポスト・ダウンタウン」などとぬかしやがる(ポストは普通赤いもので、ヤツらはあまりにも青すぎる)。ムカつくのが、全然才能もないのに、たまたまいい番組といい企画に恵まれただけなのに、まるでそいつがおもしろいかのように評価されてしまう(メッキはすぐにはがれるけどね)。

うーん、こうなったら、いっぺん、このへんでハッキリさせてみてはどうだろう。いま、第一線で活躍しているコメディアンも全部集めて、それぞれのネタで正々堂々と勝負してみるのだ。同じ舞台で、同じ客、同じ持ち時間で、カブリ物、小道具いっさいなしの、大イベントである。

これが、もし実現すれば、緊張と興奮とうれしさで、夜もろくろく寝られないだろう。ただ、ボクシングのように簡単にはいかないのだろう。まず、同じ持ち時間というのを何分にするかというのが難しい、漫才、漫談、コント、それぞれ適した時間というものがある（漫才は十五分、漫談は十分、コントは七、八分というところだろうか）。何より、どういう客を集めるかという問題がある。当然、年寄りというのは違うだろうし、若すぎるのもどうかと思う。女が多すぎてもダメだろうし、あまり偏ったファンというのも具合が悪い。笑いのレベルが低いのも、当然違うだろうし、高すぎるのも……。

うーん、やっぱり無理なのだろうか？　よーし、それなら大喜利という手もある。同じお題で、アドリブの勝負である……。でも、やっぱり大喜利は天然ボケがみょうにハマッてしまうときがあるからなぁ……。えーい、もう何でもいいから、ハッキリしようではないか。いま、現時点で、いったい、誰が日本一おもしろいのか？　誰が笑いのレベルが一番高いのか？

ねえ、ねえ、ねえ。

# 結婚についてタップリ書いてやるぞコノヤロー！

『週刊朝日』に送られてくる手紙はすべて目を通しているが、最近多いのが、オレに対する挑戦状的なもので、〝いつかあなたを抜くから待っててください〟という内容（抜けるものなら抜いてみろベロベロバァー）。そして、相変わらず結婚ウンヌンの質問。少々うんざりしてしまうが、考えてみると、オレが結婚についてふれないから、いつまでたってもくるわけで、今回はあえて結婚についてタップリ書いてやるぞコノヤロー！

オレも三十歳になって、周りから「結婚しないんですか」とよく聞かれる。逆に、そんな人たちに質問したい。

「なぜ結婚するんですか」

そう、結婚することで「何か得するの？」という疑問がどうしても出てきてしまうのである。マイナス面はたくさんあっても、プラス面があるとは思えない。だいたい、周りでも、結婚五年くらいの人間で「いやー、結婚してよかった」と言っているヤツなど見たこ

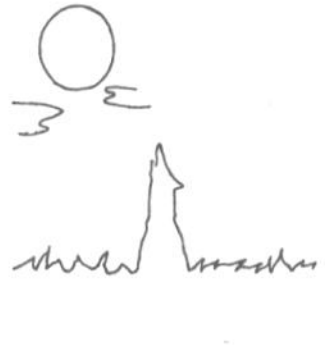

とがない（イチイチ言わないだけなのか?）。

何年も付き合っているうちに別れられなくなり、仕方なくそうなってしまったというケースがほとんどのような気がしてならないのだ（違うの?）。

いやーだれが決めたか知らないが、結婚というものは、おっそろしいものである。いつ家に帰っても同じ女がいるのだぞ……ギャー。考えただけでも身の毛がよだつ話である。いつさらに、新婚当時は若くてそこそこきれいだったその嫁が、年を取り、ヨボヨボになっていくのだぞ……ウゲーッ。手に汗にぎるお話である。また、そのヨボヨボが、夜、ネグリジェを着て求めてきたりしたら、それこそ最悪で、ある意味ヤクザである（なんのこっちゃ）。

ガキができたらそれこそ最悪で、自分に似た生き物に家の中をウロウロされた日にゃ、どうしていいかオレには解読不可能である。

そう、オレのようなコメディアンにとって、家族というのは百害あって一利なしなのではないだろうか?　たとえば、子供が小学生にでもなると、親父がコメディアンという理由でいじめられるかもしれない。「学校でいじめられるからバカなこと言わないで」なんて自分の子供に言われたら、オレは、きっと自分の子供をイジメてしまうだろう。ただ、やりにくくなるのは間違いないだろう。また、女の話をテレビでしにくくなる。いまでこそ好き勝手に昔の話でも、最近の話でもしているが、嫁さん・子供がいると、やっぱりパワーが半減してしまうかもしれない。

そこへもってきて、夏休みや正月には、家族旅行に連れて行け！ などと要求してくるだろう。ヤツらの言い分を全部聞いていると、オレは間違いなく、普通のおっさんになってしまう。オレがいちばんなりたくなかった普通のおっさんにである。昔はおもしろかったのに、普通のおっさんになってしまったコメディアンをオレはいっぱい知っている。やはり、オレにとって結婚はありえないのかもしれない。ただ、今日、一九九三年十二月十一日、午前四時現在の話で、この発売日のころにどうなっているかは、だれにも分からないのであった。

## 抱かれたい抱かれたくない!?
## そんなこと勝手にしさらせ！

急に見たこともないヤツが横に並んで「ヨーイ、ドン」と叫んで走り出し、勝手にゴールを決めて「はい私の勝ち」「あんたの負け」と言われたら、皆さんはどんな気分ですか？

腹が立つというより「はぁ？」という感じではないでしょうか？ そう、オレにとって

『アンアン』などの〝抱かれたい芸能人〟アンケートは、まさにそれなのである。

オレのゴールはそんな方向にはない。二枚目俳優なら喜んだり、悲しんだりするかもしれないが、オレにはまったく関係のない、リアクションの取りようのないレースなのである。

そこへ来て〝抱かれたくない〟アンケートには単純に頭にくる。そのアンケートで、いったい誰が得をするのだ。上位に入ったタレントの奥さんや彼女の立場はどうなるのだ（本人は結構気にしてなかったりするけど）。

しかも、そのアンケートに答えてる女のほとんどが、どうせブッサイクなのだろう。せめて、こっちが抱きたいと思うぐらいのグレードの高い女を集めて来させろ！

まぁ、いまのところ〝抱かれたくない〟のランキングにオレの名前はないようなので、あえて書いてみました（入ってから書くと負けおしみに取られかねないので）。

アンケートを取るなら、せめて〝うんこのデカそうなタレント〟とか、笑えるもんにしたほうがよいのではないでしょうか？

あと、ムカつくのが〝オシャレだと思うタレント〟アンケート。

あのよー、オレはよー、服装に気を使うほどヒマやないのよ。そんな時間があったら、ショートコントの一つでも考えるわい、このピロピロ（ピー）！

そりゃ、ハッキリ、正直に言わしてもらうとオレも男である（しかもかなり女好き）。

〝抱かれたい〟のランキング上位に入ればうれしくないはずはない。オシャレだと言われれば悪い気もしない。

しかし、それは、あくまでも松本人志としてであり、ダウンタウンの松本としてではない。

オレが、もし男として、本能のままに異性を意識しだすと、きっとつまらん芸人になってしまう。オレがつまらん芸人になるということは、結局この日本の笑いの歴史を変えてしまうことになる（分かるね）。

少なくとも、テレビや舞台では、男を捨ててオレは挑んでいるのだ。いや、むしろ女に嫌われるようにしている。まぁ、そのおかげで、最近道を歩いていても「握手してください」「サインしてください」と言ってくるのは、ほとんど男になってしまいました（精神的にはうれしいが、肉体的には悲しい）。

どうか、その手のアンケートは、それを目指している芸能人だけでやってください。

私は、ある意味、医者なのです。そして視聴者の皆さんは患者なのです。おもしろいことおもしろくないことを区別できない重病人なのです。それを私がテレビという物を使って治療しているのです。医者が手術中に異性を意識しますか？

# オレは家族を笑いにする他人は一切手出しするな

芸能人は、はたして得なのか損なのか、たまに考えてしまうときがある。確かに普通のサラリーマンでは考えられないくらいの収入があるし、そこそこ（あくまでもそこそこだが）女にもてる。周りの人間も多少（あくまでも多少だが）チヤホヤしてくれる。ただ、人に「あなたは芸能人になってよかったですか？」と聞かれたら、元気よく「はい！」と言えないだろう。

この間、芸能ニュースで、ある俳優のお母さんがイタズラ電話に悩まされているというのを見た。注文していない商品などがたくさん送られてくるらしい。なんとも不愉快なニュースである。

考えてみると、オレもかなり悪質なイタズラをたくさんやられた（もしかしたら芸能界一かもしれない）。とくに、大阪にいたころがひどかった。電話はずーっと鳴りっぱなし、夜中にインタホンを鳴らされるのも、ほぼ毎日。消防車や救急車を呼ばれたり。ある日、

家に帰って来ると、ドアノブにタンポンが巻かれてたこともあった。

カギをかけ忘れて寝ようもんなら、勝手に部屋に入ってカネや物を盗む（それってファンか?）。靴が全部盗まれてたこともあったし、逆に、朝、目をさますと枕元にプレゼントが置いてあったりする。もちろん、見つけたときはボコボコにしてやったけどね（文句あるか?）。

まぁ、芸能人である以上、仕方ないとあきらめている部分もあるのだが、ただ、家族へのイタズラは、絶対やめていただきたい。

オレは、たまにテレビで家族のことをネタに笑いを取るときがある。たとえば、母親は入れ歯だ、とか、ねーちゃんは離婚の慰謝料として電子レンジをもらったなど。あるとき、親父からえらくご立腹の手紙が来た。「家族のことを笑いにするな！」というような内容だった。

でも、オレはやめなかった。なぜなら、彼らは芸能人の身内ということで得をしているからだ。松本の父親というだけで、会社でも自慢しているだろうし、親戚に鼻も高い。そう、多少笑いものにされても、おつりがくるくらいの思いをしているのだ。オレの仕送りを手にした時点で、ある程度、笑われる義務があるのだ。都合のいいときだけ他人ぶるのは卑怯な考え方で、ある意味、運命共同体なのだ。

そんな理由で前に一度、自分の番組に母親を出したが、オレはスタッフに、「なんなら、かぶり物をつけさせろ」と言った。今度、親父でも引っぱり出したろかい。ただ、それは、あくまでもオレがやるから許されることであり、関係ないヤツらが家に危害を加えることは、何人たりとも許さない（実家のほうでも、いろいろイタズラがあるようなので書いてみました）。

考えてみると、芸能人というものも、そんないい仕事じゃないという結論に達してしまう。道もロクロク歩けないし（歩いているけど）、思うように休みが取れない。恋するヒマもありゃしない。みなさんのお子さんが、もし「芸能人になりたい」などとぬかしたら、涙ながらに止めましょう。

# 女がコメディアンとして天下を取れない理由

前に一度、「おもしろい奴の条件」というのを書いた。その中に〝女好きである〟というのがあった。そのことについて、抗議の手紙が何通か来た。「女好きの奴が、コメディアン・作家に向いているのだとしたら、女の私はダメなのか？」というような内容であっ

た。

なるほど、女好きの女というのもいるにはいるが、ちょっと意味が違う。

それでは、女はコメディアンには向いてないのか？　ということになるが、その答えは、ハッキリ言ってＹＥＳである。こんなことを書くと、「女性差別だ！」と言われるかもしれないが、そうなのだから仕方がない。

ただ、ダメだとか、無理だと言っているワケではなく、向いていないと言ってるのだ。いままでがそうであったように、女のコメディアンが天下を取ることは、今後も絶対にありえないのだ（まぁ、コメディアンで天下を取ってやろうと思っている女もそういないだろうが）。

もう一度書いておくが、これは、女性差別ではない。むしろ、オレほど女性差別をしない奴もめずらしい。たとえば、男だろうが、女だろうが、ブサイクな奴には、ブサイクと言うし、太っている者は、男女問わずデブと言ってあげている。ちゃんと同じように扱っているのだ。

女がコメディアンに向いていないのは、そう、宿命のようなものなのだ。たとえば、全身タイツでコントをやるにしても、胸がふくれているだけで、目がそっちにいってしまい気が散って笑えない。男はチンコを出して笑いを取れるが、女が（ピー）を出したら、立つ奴はいても、笑う奴はいない。最終的に隠さないといけない物があったり、守る物があるというのは、何にせよ説得力に欠けるのではないだろうか（ヅラをつけている政治家にも同じことが言える）。

少し話がズレるかもしれないが、「朝まで生テレビ」を見ていて、女のコメンテーターがいくらいいことを言っていても、イヤリングやブローチ、化粧をしていると、なんか覚めてしまうのはオレだけなのだろうか？　エラッそうなことを言ったところで、しょせん、男を意識しとるがなと思ってしまうのだ。

柔道などを見ていてもそうだ。男子は一生懸命さが感じられるものの、女子の道着の下に着ているTシャツがどうも気になってしまう。一〇〇パーセント柔道に打ち込んでないやん、何パーセントかはチチ見えたら困るという気持ちあるんやん、と思ってしまう（まぁこれはオレだけやろうけど）。

結論に入るが、恥も外聞もなく、自分をさらけ出してなんぼのお笑い芸人にとって、身も心もスッパダカになれない〝女〟というものは非常に不利であり、ハンディがあまりにも多く、向いていないのではないだろうか。

もし、女で天下を取ってやろうと思うのなら、化粧もせず、恋愛もせず、結婚はもちろん妊娠、出産もあきらめるくらいの気持ちで、それこそ生理がきてもほっとくくらいの気持ちでかからないと、男には勝てないのだ。少なくとも、この世界では。

# 芸能人の好感度も大事だけどあんたの好感度はどうだろか

さぁて、今回はＮＨＫのタレント好感度調査についてタップリ書いてやろう、と大阪へ向かう新幹線の中で考えていた（今回、われわれダウンタウンは六位だったらしい）。まず書き出しはこうで、その後こう持ってきてなどなど考えているうちに、ついウトウトしだして眠ってしまった。

十分ほど寝ただろうか。耳元で「すいません」。目を覚ますと、十八歳ぐらいの女がそこに立っていた。「サインしてください」と言うのだ。

正直、オレはキモチ悪いと思った。普通、寝ている人間を起こしてまでサインを求める者などいない。たとえば、自分の降りる駅があと五、六分で着いてしまうとかなら、まだ話も分かるが（それでもムカつくけど）、電車は走りだしてまだ三十分ほどしかたっていない。次の名古屋で降りるにしても、まだ一時間以上はある。そのときまでなぜ待てないのだろう。そのウンコ女は、自分の都合しか考えていないのである。

㊕「いま、寝てるから」㊒「お願いします」㊕「いや、もうええから」㊒「いま、起きてるじゃないですか」㊕「あんたが起こしたんや」㊒「一、二秒でできることじゃないですか」㊕「お前には、したないんじゃ〜、ボケ〜！」

そのとき、ちょうど車掌が来て、あとはその人に任すことにした。しかし、考えてみると、そのとき乗り合わせた客やそのウンコ女にすると、オレはタチの悪いタレントだ！ということになってしまうのだろう。

確かに、オレはサインをするのがあまり好きじゃない（だって、あんなもんもらってなんになるの?）。ただ、タレントである以上、義務のようなものではあると思っている。問題は、頼みに来る奴のタイミングと人間性である。

昔、大阪で生放送のレギュラーをやっていたときの話だが、熱が四〇度以上で、どうしても仕事ができる状態じゃなく休んだのだが、呼びリンを何回も押されて、仕方なくフラフラになって出てみると、一人のばばぁが立っていた。いつ来てもオレがいない、テレビを見たら病気で寝ている、いまならいるだろうと思って来た、サインをしてくれ、と言うのだ（四〇度の熱があったので、そのばばぁを殺すことはできなかった）。ヒドイ話である。

その他、食事中に頼みに来る奴、なぜ食べ終わるまで待てないのか。あと、たくさんの人がいるなかで頼みに来る奴、一人してしまうと、われもわれもになってしまう。失礼なのが、レシートやそのへんに落ちてたような紙にしてくれと言う奴、あきらかに年下なのにタメロで来る奴……。

どうかみなさん考えてみていただきたい。街で芸能人に会って、サイン・握手を求めて断られたことはありませんか？　それは、もしかしたらあなた方に落ち度があったのではないでしょうか？　少なくとも、オレは理由もなく断ったりは、絶対にしないと断言できる。サインを断られたのをタレントのせいにするんじゃなく、自分自身の好感度を考えてみようではないでしょうか。

## センスとオツムがない奴にオレの笑いは理解できない

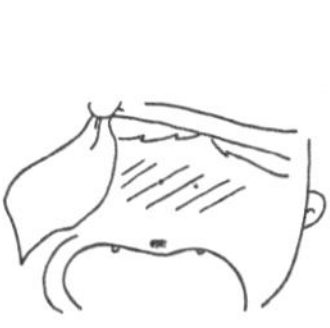

酒飲みは、酒を飲めない者より人生が倍楽しいなんてことをよく耳にする。なるほど、そうかもしれない。酒に酔って、道で寝ているヤツなどを見かけると、「何しとんねん」という気持ちの半面、うらやましいという気もする。酒に酔うという気分は、いったいどういうものなのだろうか。まったく飲めないオレには、想像がつかない未知の世界である。

『週刊朝日』に送られてくる手紙に、ひっさびさにストレートなオレへの悪態があった。そいつは四十九歳の田舎のおっさんで、このオレ、松本様の笑いが、全然理解できない、いままで一度も笑ったことがない、と書きつづってあった。

そのおっさんは、いままでオレの連載を読んできたのだろうか。もし読んでいたとしたら、いったいどこを読んでいたのだろう。不思議でしようがない。すぐに電話でもして怒鳴りつけてやろうと思ったが、許してあげることにした。考えてみると、このおっさんはすごくかわいそうなヤツなのだ。

オレの笑いが理解できないということは、酒を飲めないヤツといっしょで、オレの笑いを理解できるヤツの半分しか人生を楽しめてないのだ。頭の弱いヤツなのだ。そんな弱い子に怒鳴りつけるのも気が引ける。水死体に水をかけるようなことは、人道的に許されないことだ（オレは、なんて大人なのだろう）。酒を飲めないヤツに、無理に勧めるのもどうかと思うし。

もう一度言っておこう。オレを理解するには、ある程度のセンスとオツムが必要である。バカなヤツがどうあがいても、ついてこれる世界ではないのだ。おバカさんは、おバカさんなりに、ハナでもたらしておればいいのです。ただ、それは、すごく恥ずかしいことだと自覚しておればいいのです。

いつも思うことなのだが、人は、なぜ分からないと怒るのだろうか？　たとえば、「私は、あなたの笑いが分かりません。どうしたらよいのでしょうか？　助けてください……」と、悩み相談ふうに書いてくるなら、こっちにも話のしようがあるのに、何を怒っとるのだ。逆恨みにもほどがある。オレの周りにも何人かいる、３Ｄが見えないと言って、怒っているヤツが。それと同じである。現に、見える人がいるのだから、それをなぜ否定するのだ。

それでは、ボチボチ、あなたがなぜオレで笑えないかの答えをお教えしましょう。それはズバリ、四十九歳のおっさんに合わせてないからである。

昔、年寄りの先輩漫才師に「あんたらは、若いもんにウケても、年寄りにはウケへん。わしらは若いもんにウケへんけど、年寄りにはウケる。同じことや」と言われたことがあったが、ハッキリ言って、それは違うと思う。

あの人たちは若い客にウケたくてもウケないのである。オレは年寄りにウケようと思えば、できないことはない。笑いのレベルを落とせばいいのだ。それが嫌だから、あえてしないだけなのだ。

カール・ルイスは、速く走ることもできるが、歩くこともできるのだ。ただ、オレは、走り続けるけどね。

# あのとき横山やっさんを殴っといたらよかったわけ

あれは、確か十年くらい前、吉本興業入りたてホヤホヤのわれわれダウンタウンが、初めてプロとしてテレビに出た（といっても、当時はダウンタウンというコンビ名でなかったが）。テレビ朝日の「ザ・テレビ演芸」という横山やすし司会の番組であった。あのころのやっさんといえば絶好調で、黒い物も彼が白いと言えば白というほどパワーがあった。

そんな状況で、われわれ二人もそこそこ緊張ぎみで十分ほどの漫才をやり終えた。テレビ初出演のわりにはそれなりの成果を得られたと、少なくともオレは満足していた。

だが、やっさんは怒りをあらわにして、舞台の袖から飛び出して来た。

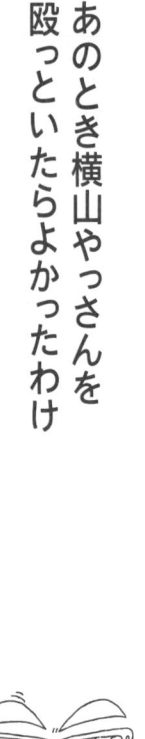

「お前らはナメとんか！」

「そんなもん漫才やない！」

「チンピラの立ち話じゃ！」

チンピラはお前じゃ、というツッコミを入れられないほど、彼はわめき散らした。オレは何度も手が出そうになったが、とりあえずガマンすることにした（殴っといたらよかった）。番組が終わってからも、漫才とはこういうもんだとお説教が続いた。

ただ、何もオレはこの場をかりて、横山やすしの悪口を書きたいわけではない。師匠と言われる人たちの多くは、「あんなもん漫才じゃない」とか「漫才とは……」などとわけの分からんこだわりのようなものを持っている。それに対して、オレは怒りを感じるのだ。

もともと漫才とは、そんなこ難しいものではないのだ。舞台の上で、二人がおもしろい会話をする、それだけのことなのだ。

チンピラの立ち話でおおいに結構だ。チンピラが立ち話をしているので、聞いてみたらおもしろかった。最高やないか！　それこそオレの目指す漫才なのである。

間が悪い、テンポがどうした……関係ない。笑えるか笑えないかがいちばん大事なことであり、テクニックは後からついてくるものである。

最近、若い漫才師が育たないいちばん大きな理由がそこにあることをなぜ気づかないのだろうか？　漫才を思うあまり、逆に漫才を衰退させているのだ。皮肉な話である。そんな奇妙なこだわりは、一刻も早く捨てるべきだ。

待てよ、このわけの分からんこだわりは、高校球児の坊主頭に通じるものがある。野球と坊主頭に何の関係があるというのだ。ウンコのようなこだわりである。

中学、高校時代、オレのまわりにもいっぱいいいた。野球が好きでやりたいが、坊主にするのが嫌でサッカーやっていたヤツ。坊主頭へのこだわりのせいで、せっかくの才能を逃しまくっているのだ。もし、あんな決まりがなかったら、日本の野球のレベルはいまごろもっと向上しているのではないだろうか？　いや、絶対そうだ（そら、サッカーに食われるわなぁ）。

結局オレが言いたいのは、漫才、野球に限らず、バカなおっさん連中のカタイ頭とこだわりが、せっかくの若い才能の芽を摘み取っているということで、あのとき横山やっさんの手によって一歩間違えばダウンタウンという漫才コンビは、この世に存在しなくなったかもしれないのである。

## やっぱりストレス解消は人の悪口を言うことだ

う〜ん、ストレスがたまってきた。いや、かなりたまっているだろう。考えてみるに、毎日毎日、お笑いのことばかり考えて十二年。今年でなんと、十三年目である（いや、たまらんほうがおかしいやろ）。

仕事になんの不満があるわけでもないが、このままでは頭がクルクルパーになってしまう。その前に、何か手を打たなければならない。

きっと、何かお笑い以外のことをして気分転換するのがよいのだろうが、ドラマなんてやったらよけいストレスがたまって、クルクルパーぐらいではすまなくなってしまう。そうだ！　なんでもいい、趣味を見つければいいのだ。

それにしても何がいいだろう？　ゴルフ？　いや、あんなもんがおもしろいわけがない。以前、番組で二、三回やってみたが、何がおもしろいのかまったくわからず、頭の中にず～っとクエスチョンマークが点灯していた。

オレの周りではゴルフ、ゴルフと騒いでいるが、どうもオレの考えるに、あれはウソなのではないだろうか？　オレの前では楽しそうにゴルフに行くように見せかけて、実はみんなでおいしいものでも食べに行っているのではないだろうか？　そう考えないと、つじつまが合わない。

ムカつくのが、ゴルフのルールというか、ゴルファーのマナーだ。だれかが打った瞬間に、「ナイスショーッ！」（何がやねん）。ボールのゆくえもわからんうちに、なぜそんなことが言えるのだ。言われたほうもアホ面で、「どうも」（死ぬまでやっとけ）。

まるで、震源地はだれだゲームの鬼をやらされているようで、一人とり残されたさみしさで気分はコバルト・ブルーである。ボールを穴に入れるゲームなのに、なぜ砂場や池があるのだ。根性の悪いスポーツである。

スポーツなんてだいたい根性の悪いものである。なかでも野球は特にヒドイ。オレも子供のころ、少しはかじったのだが、かくし球というのに腹が立ち、やめたのだ。

人がせっかくヒットを打って、気をよくしているのに、ピッチャーと野手が集まりだし、ファーストにソッとボールを渡す。こっちがなんにも知らずにリードしたところで、「タッチ」「アウト！」（人間のクズじゃ）。

プロ野球を見ていてもそうで、よく「アウトだ！」「セーフだ！」と監督同士がもめているが、一人ぐらい「審判はセーフだと言ったが、うちの選手はアウトだった」と言うヤツがいてもよさそうなものなのだ（なんてイヤな世界だ）。

どうもスポーツは、オレに向いていない。それなら釣りなんてどうだ。いや、オレは魚がキライだ！　それならバードウオッチングというのはどうだ。友達をなくしそうだ。

人の悪口はどうだ。うん、それはなかなかいいもんだ。

なんだかんだ言ったところで、人の悪口を言っているときが、いちばんスーッとする。そうだ！　やっぱりそれに限る。

これからも、人の悪口をドンドン書いてやるから覚悟しろ！　そうしないと、オレはクルクルパーになってしまうのだ！

# そんなことより段ボールのおっちゃんなんとかしたれ

こう見えても、過去に（漫才）の賞なんかは、いっぱいもらったのね。ただ、うちにはトロフィーとか賞状みたいな物が一切ない。実家にあるのか？　吉本の本社に置いてあるのか？　申しわけないが、まったく記憶にない。それでオレはいいと思っている。

昔をなつかしんだり、過去を振り返ること自体は、べつに悪いことじゃないと思う。だが、過去にこだわっている奴ほどたいした過去をもっていないし、未来もたいしたことがないような気がしてならない。

まぁ、言うならば、後ろを見ながら前は見られない、ということでしょうか。前々回、わけのわからないこだわりについて書いたが、今回はその第二弾としゃれこましていただこう。

たとえば、かつて自分の通っていた学校の校舎が取り壊されるといって、抗議しているヤツ（アホですわ）。この地球が誕生したそのときから、その校舎はそこにあったわけではない。その前には違う建物、もしくは田んぼ、お墓、池があったんだぞ！　それを壊して、その校舎が建ったのだ。前の人たちが抗議していたら、お前らの校舎は建たなかったんだぞ！　そして、お前たちが抗議しているうちは、次の人たちの思い出もできないのだぞ。わかってんのか？

その校舎を残したところで、お前らは毎日見に行くのか？　たぶん、行かないだろう。なくなった校舎を思い出し、なつかしむ脳ミソも、お前らにはないのか？

それと、テレビのCMでよくやっていた「トキ」。何でも日本にいま二羽しかいないらしい。このままでは絶滅してしまう。それをなんとかしようというバカ。できることなら守ってやればいい。でも、それはべつにCMでやるほどのことではないのではないか。その前に段ボールにくるまっているおっちゃん、なんとかしたれよ！　と、オレなんかは思ってしまう。

昔は乱獲もしたらしいが、最近はだんだん（勝手に）減ってきたわけで、それを無理して守ることが、はたしてそんな大事なことなのか？　と思ってしまう。ある意味でこの世のさだめで減っていったわけで、それは仕方のないことなのだ。

第一、守ろうと言われたところで、オレはいったい何をすればいいのだ。そう、落石注意の標識と同じことで、やりようのない警告である。

そうそう、過去にこだわるという点から言えば、あの禁煙パイポのＣＭもええ加減にせんか。「私はこれで会社をやめました」。十何年前にちょっとはやったからといって、いつまでやっとるんや！　アホのひとつ覚えの猿頭や！（才能のないコメディアンにも多い）

話をトキにもどすが、必要ないから消えていくというのは、芸能界とまったく同じで、必要とされているから仕事がある。必要なければ消えていく。当たり前のことである。オレもそのときが来たら、スッパリとこの世界から足を洗うつもりでいる。それくらいの覚悟はできている。

## お知らせがあります　レコードデビューします

一つ、皆さんにあやまらなければいけないことがあります。かねてから、コメディアンがレコードを出すのはおかしいと言っていた私でしたが、実は、このたびレコードデビューすることになりました（まぁ、半分以上シャレですが）。しかも、よりにもよってアメリカで……。

なぜ、こんなことになってしまったのだろう？　もとはといえば、オレが言い出したことなのだが（どないやねん）、「ダウンタウンのガキの使いやあらへんで!!」という番組に、なんと坂本龍一《さかもとりゅういち》が、客にまじって見に来たことが事の始まりだった。

なんでも、彼はダウンタウンの大（？）ファンらしく、番組のプロデューサーにわざわざ頼んでまで見に来たのだ（おちゃめなヤツだぜ）。坂本龍一といえば、アカデミー賞を受賞している「世界の坂本」である。そんな人物にファンだと言われて、ついついオレも有頂天のウキウキ気分になってしまい、「坂本龍一プロデュースで、全米デビューしたろかい！」と、番組の収録中に口走ってしまったのである。

とはいっても、しつこいようだが「世界の坂本」、そんなバカげた話をOKするわけがないと思っていた。スタッフも、半信半疑で坂本氏に依頼したのだが、なんと意外や意外、彼はノリノリでOKしたのだ（キュートなヤツだぜ）。

矢沢永吉《やざわえいきち》がドラマに出るご時世、何が起こるかわからない。そうなると話はトントン拍子に進み、破って捨てたパスポートを再発行させることになってしまったのだ。

まぁ、全米デビューなんていっても、日本でレコーディングしたCDをだれかがアメリカに持っていって、売ってくれると思っていたオレが甘かった。レコーディングはもちろんニューヨーク、ヘタすりゃどこかのライブハウスでミニコンサートを開かなければならない（ヘルプミ〜）。しかも裏情報によれば、坂本氏の歌のイメージは、ラップ調だとい

うではないか！（いや、まじでヘルプミ～）。さらにさらに、作詞はオレたちにまかせるというではないか！（あこぎなヤツだぜ）

こんなことなら中学時代、もっとまじめに英語の授業を受けるべきだった。Ｔｈａｔから、もうすでに見失っていたオレが、英語で作詞なんてできるわけがない。ましてや歌うなんて、スティーブン・タイラーが古典落語の〝まんじゅうこわい〟をやるようなものだ。考えただけでも、身の毛のよだつ話である。

とはいっても、決まったものは仕方ない。こうなったらアメリカで恥をさらして、さらして、さらし切ってやろう。あっそうそう、ちなみに向こうでのグループ名は、ダウンタウンでは〝下町〟になってしまい、何のこっちゃわからないので、「芸者ガールズ」ということにあいなりました（それでも何のこっちゃわからんけど）。

まぁ、もし、この「芸者ガールズ」デビューシングルが欲しいという物好きがいるのなら、アメリカでお買い求めください。

# コソドロ芸人の横行でパクリについて考えたゾ

「人様の物に手をつけてはいけません」。子供のころ、母親からよく言われたものだ（皆さんも言われたのではないでしょうか）。幼いながらもそれを理解できたし、この年になっても、もちろん悪いことだと思っている。

ただ、この世界に入って周りを見渡してみると、なんと親の言いつけを聞いてないやつの多いこと多いこと、ビックリしてしまう。人のネタをパクるやつがいっぱいいるのだ。人の考えたネタを、さも自分たちのネタであるかのような顔をして舞台でやり、笑いを取って、まったく悪びれる様子すらない。オレにはとうてい理解のできない、気色の悪い人種である。せめて、オレの所に来て、「ネタ使わせてもらってます」と一言いってもらいたいものだ（殴ってあげるから）。

まさか、オレの考えたネタを古典落語と同じに思っているわけではないだろう。クイズネタや誘拐ネタを自分たちが伝えていこうなんて思っているとしたら、それは大きな大きなお世話である。

日テレで「発明将軍ダウンタウン」という番組をやっているが、発明というものには特許というものがあって、すべてだれかが権利を持っており、勝手に使えないよう、いわば守られている。お笑いの世界もそうなればいいとまでは言わないが、なんとかならないものだろうか？

まぁ、そんなコソドロ芸人が売れるわけがないので、ほっといてやることにする（いつまでも芸人裏街道を歩いてなさい）。ただ、パクリかパクリでないかという基準は非常に難しいのも事実である（前に書いたやつらは、どう考えてもパクリだが）。

たとえば、われわれダウンタウンも新人のころ、紳助・竜介の漫才のテープを何度も聞き、あのスタイルをマネていた時期があった。それをパクリと言うのならそうかもしれない。また、オレの後輩の吉田ヒロというやつのギャグも一時期よく使っていた。かわいがっている後輩の名を広めるためであり、一種の愛情だったのだが、パクリと言われればそうかもしれない。

そうなってくると、パロディーというのもうさん臭くなる。ちなみに辞書で調べてみると、〝パロディー＝ある作家の特徴を模倣し、風刺・こっけいを感じさせるようにつくりかえたもの、もじり〟とある。簡単に言えばパクリと言えないこともないような気もする。

まぁ、そんなことを抜きにしても、パロディーは安易な笑いで姑息《こそく》な気がして、オレはもともとあまり好きではないけどね（ほとんどしてないでしょ）。

それでは、ものまねというのはどうだろう。人のフンドシで相撲を取っているという気もしないでもない。ただ、自分流のセンスを入れてマネているわけで、コロッケの野口五郎はやっぱり笑ってしまう。そう考えると、ものまねというネーミングに問題があるのかもしれない。

よし、答えが見えてきた。オレの考えるお笑いにおいてのパクリとは……見ず知らずの人間の大事にしているものを許可もなしに持ち出し、自分流のアレンジをしないで使うこと、である。

## まだ見ぬオレのガキへ<br>オレはおまえを楽させんゾ

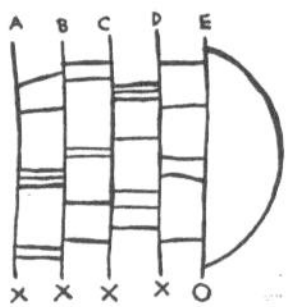


宇宙戦艦ヤマトのワープをご存じか？　敵の攻撃をかわしたり、時間を短縮できるという非常に便利な機能である（いわゆる瞬間移動というヤツですか）。

そんなものはマンガの世界であって、現実にはありえないものだ！　とお思いの方も多いと思いますが、それがけっこうそうでもなく、私たちの身のまわりにもワープはたくさん存在するのです。

特に芸能界で非常に多く見られる現象で、例えば無名の歌手が一曲ヒットを飛ばし、一躍スターダムにのし上がるのもワープと言えよう。ただこの場合、次の曲でまた、後ろに向かってワープするケースが多いけどね（一発屋というヤツですか）。まぁ、この手のワープなら何の問題もないのだが、納得のいかないワープもたくさんある。

その一つが、二世タレントというヤツである。横はいりのごぼう抜き野郎である。役者になりたいと日夜努力している人たちをよそに、親の力を使って、「お先に失礼」と言わんばかりのウンコ人間と言えよう（そうでないヤツもおるでしょうけど）。ヤマトのワープは、少なくともエネルギーをたくさん消費するというデメリットがあるのに、奴らにはそれすらないではないか。ヒッジョーにうっとうしい奴らである。

あとムッチャクチャムカつくのが、ＮＨＫの朝の連続ドラマのヒロインというもの。無名に近かった女優が、そのヒロインに決まっただけでもう大女優の仲間入り気取りでいやがる。オレはそんな時間寝ているし、もし起きてたとしても、見る気もしない。当然そいつらを大女優などと思っていないし、思えない。一つの仕事を消化した女優ということで、以上でもそれ以下でもない。そんなほとんど運で決まったようなヒロインが、一人前ぶるな、バカタレ！

世の中にはバカな奴がいて、「運も実力のうちだ！」とぬかしているのを、ときおり耳にする。オレはそんな言葉、絶対に認めない。

運はあくまでも運であり、努力している者、才能のある者には、運など関係プーである。一歩一歩階段を上がっていく喜びも苦しさも知らずに、何が大女優じゃい、このくされ大根めが！

そこへいくと、笑いの世界にはワープというものは存在しない。いや、もしかしたらそれに近い部分もあるかもしれない。が、少なくとも、オレはそんなもの使ったことがない。ごまかしはきかない世界なのだ。だからこそ、お笑いタレントは一度売れると息が長いのだ（どうだ！）。

もし、いつかオレに子供ができて、芸能界に入りたいなどとぬかしたら、「勝手にせい！」と言ってやる。もちろん、いっさい手を貸さない。ゼロからのスタートである。よく人は、自分が幼いころつらい思いをしたから、子供にはそんな思いをさせたくないとか言うが、オレはそう思わない。オレのガキには、オレと同じように育ってもらう。じゃないとオレのような立派な大人になれないからね。

ワープ（ラク）はさせない、タップリと苦労していただくと、まだ見ぬガキに、キンタマをにらみながら叫ぶ、今日このごろであった。

# あとから〝できちゃった〟と当てる占い。前に教えろ！

オレには悪霊がついているらしい。ハッ、ハッ、ハッ。どうだ！　スゴイだろう。うちの番組にゲストで来たかなり有名な占師にハッキリと宣告されてしまったのだ。

番組中に言われたのなら、番組を盛り上げるためだとも考えられるが、本番前の楽屋で言われたのだから、きっとマジなのだろう。スタッフの中に、オレと同じようなことを言われたヤツがいて、そいつは顔面蒼白になってオロオロしてたけど、オレはニッコリ笑って「そうでしょうね」と言ってやった（なんだ、コイツ怖くないのか？　という目で見られたけど）。

そう、ハッキリ言って、怖くもなんともない。あの手のものはだいたい、いきなり一発かましてくると相場が決まっていて、それで少しでもこっちがひるむと、向こうの思うツボ。あることないこと、言いたい放題である。

といってもオレは、占いをまったく信じないわけでもない。オレ自身、人の顔を見て信

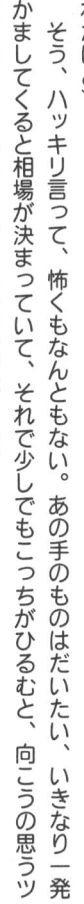

用できるヤツか、できないヤツかをだいたい当てられる。それも一種の人相占いというやつだろう。血液型占いにしても、B型の人間はわがままなヤツが多いのは本当だ（ちなみにオレもB型）。

ただ、こまかい部分になってくると、もうまったくのデタラメとしか言いようがない。〝A型の人は、交通事故に注意〟（A型の人間がみんな交通事故にあったら、いったいだれが輸血するんじゃい）。〝乙女座の人は、あったかくしないとカゼをひくかも〟（そんなこと、オレのおかんでも言いよるわい）。〝卯年の人のラッキーカラーはイエロー〟（オレはどうしたらいいのだ）。なんといってもバカバカしかったのが〝今月、彼女から急に「できちゃったみたい」と言われるかも〟（それなら前の月に〝ヒニンしろ〟と言うといたれよ）。

そう、事前に当てるから占いの意味があるわけで、後から当てたからといって何になるのだろう。手相がいい例で、人の運命が手のシワに表れるということは、信用できないわけではない。しかし、あいつらの言うことときたら、「前に一度、大きな病気をしてますねぇ」。そんなことはそいつに言われなくとも、本人がいちばんよくわかっていることである。

手を見て、それを当てたことはすごいかもしれないが、それが何か役に立つのか？　未来のことを見てくれと言うと、言いたいことを言ったあげく、「まぁ、手相は変わりますからねぇ」……。なんじゃそりゃ！　結局、手相なんて後からついてくるもので、本人の努力でどうとでもなる。一つのアルバムにすぎない。もし彼らに未来が占えるのなら、なぜいま、あんな寒空の下で、割に合わない仕事をしているのだろうか？

話を悪霊のほうにもどそう。結局、悪霊がついてるからといって、オレにどういうデメリットがあるのだ。いつついたのか知らないが、ついてることさえ気がつかないぐらい、何も起こらない。悪霊といっても悪いものでもないような気がしてしまう。

それよりも、初対面の人間にイキナリ「あなたには悪霊がついてる」なんてことを言う、常識のないお前が悪霊じゃないのか。

## 吉本興業という会社をマジに批判させていただく

吉本興業が東京に進出してくる。とはいっても、吉本興業のタレントは、前から東京のテレビにもたくさん出ているわけで、いまさら、なぜ進出なのか？　ということになる。まぁいうなれば、いままでは、吉本のタレントは大阪から東京に出張していたわけで、こ

れからはいよいよ本格的に根をおろしてやっていくということで、銀座の七丁目に小屋（劇場）までできている。

まぁ、この不況といわれているご時世に、何とも景気のいい話である。やっぱり吉本はスゴイ！　ということになるのだろうが、はたしてそんなにスゴイのだろうか？　浮かれ気分に水をさすのもなんだが、吉本興業の一タレントとして、あんまり図に乗ってはいけませんよと、警告してあげようとペンをとった次第である。

だいたい、吉本という会社はタレントを育てる力があまりない。才能のある人間が勝手に集まって来ているだけである。それに早く気づかねばならない。まぁ、例外もあるだろうが、吉本のタレントになろうというヤツは、学生時代、クラスや学年で一、二を争うぐらいのおもしろいヤツがほとんどで、いってみればセミプロである。

それに引き換え、マネジャーはただの就職先として、吉本に入ったヤツがほとんどである。そんな昨日今日、大学を出たような素人兄ちゃんが、ネタを見て、ああしろ、こうしろとアドバイスするのがおかしいのだ。そりゃ、おもしろいかどうかを判断するのは、テレビでも舞台でも、見ているのは素人なわけで、素人の意見は大事かもしれない。でも、それはあくまでも、おもしろい・おもしろくないという○か×かの判断でいいのだ。それを、何もかもわかったような顔をして、「そこ違う！」などとぬかしてやがる。言われたほうも言われたほうで、「ハイ、ハイ」とそれを聞く。せっかくそこそこおもしろかったものを、つぶしてしまっていることも多いのだ。

若いマネジャーの問題はほかにもあり、最近は新人タレントの取り合い現象のようなものがある。確かに、売れる前から自分がツバをつけておけば、売れてからも自分のコマになり、思い通りに動かすことができる。結局、自分の出世のいちばんの近道である。まぁ、それは若いタレントにとっても悪いことではないし、べつに問題はないように思える。

ただ、そのタレントを本当におもしろいと思っているかどうかが少々疑問である。おもしろいかどうかもわからず、とりあえず自分のものにしておこうという考えのような気がしてならない。例えるなら、べつに好きでもないが、ほかの男に取られるぐらいなら、自分がSEXしておこうという節操のない男と同じで、気色が悪い。

なぜ、こういう現象が起きているのか？　というと、簡単な話、吉本興業が大きすぎるからである。

吉本という大きな会社に、小さなプロダクションがたくさんあるようなもので、結局、そんなにスゴイ会社でもないのだ。

まぁ、もっともオレには関係ないけどね。

# 大切なオレのキンタマは意味あることに使ってくれ

　今年も胸クソの悪い確定申告の時期がやって来やがった。まぁ、オレの場合、直接、税務署に行かず、そのへんのややこしいところは、全部税理士にまかせているわけだが、好むと好まざるとにかかわらず、この一年間で国にいくら納めたか（取られたか）をハッキリ、数字として知らされるわけである。まぁ、去年は新聞・雑誌などにも載ったことだし、隠しても仕方ないので、この際、明確にするが、なんと、インド人もびっくり！　約六千万円も納めさせられたのである。
　ぶっちゃけた話、オレは、確かにたくさんかせいでいる。普通のサラリーマンの何倍もの収入である。でも、でもである。そのうちの六千万円も自動的に取られることは、片キンタマをもぎ取られるような気分なのだ。
　しかも、そのキンタマが、ワケのわからんことに使われてると思うと、夜もオチオチ眠れない。いや、取られたものは仕方ない。どうか、せめて老人福祉や公共物など意味あることに、オレのキンタマを使ってもらいたいものだ。

オレの周りの人間にこのことでぼやくと、決まって、「半分取られても、そんなに残っているのだから……」とほざきやがる。いや、いや、ちょっと待ったらんかい！

お金の価値は、金持ちも貧乏人も基本的には、まったく変わらない。一万円落としたときのショックも同じだし、千円拾った喜びも同じである。月収三十万円の人間が十五万円取られたのと、オレの気持ちは変わらない、とコンコンと説明するのだが、わかってもらえない。

それなら、こういう例えはどうだ。子供が二人いて、一人が死んだ場合、まだ一人残っていると喜べるか？（ちょっと言いすぎた。ゴメン）。それでは、こういうのはどうだ。ハシ一本でメシが食えるかっ？（なんのこっちゃ）。しかも、そんなに納めているにもかかわらず、普段の生活において、何の免除もありゃしない。

例えば、駐車禁止などやられようもんなら、まったくもって頭にくる。いま、駐車場代が月四万円として、六千万円といえば、千五百台止められる計算になる。それなのにそれなのに、二点減点して罰金まで取りやがる。それで腹が立たないほど、オレは人間ができてない。なんとかならないものだろうか（ダメ？）。

そうそう、この間、メチャクチャムカついたのだが、ロケ中に急に腹がいたくなり、公園の公衆便所にかけ込んだら、なんと、おっそろしいことに紙がなかったのだ。よーし、計算してやろう。いま、トイレットペーパーが一ロール八十円として、六千万円といえば、なんと、七十五万ロール買えるのだ。オレには、肛門がすり切れるほどふきまくる権利があるのだ。

それなのに、それなのに……。いつか、オレが年を取り、働けなくなったとき、はたして、本当にこの国は、めんどうをみてくれるのだろうか？　腹が急にいたくなったとき、思う存分、ケツをふかせてくれるのだろうか？　そんな不安にかられる、今日このごろである。

## 文才ゆえの誤解をとこう この連載はオレが書いてる

この間、隣のページでコラムを連載しているナンシー関さんと、某雑誌で対談をさせてもらった。もともと、笑いのことについてくっちゃべるのは嫌いではないし、前々から、彼女の笑いに対する評論は、なかなか的を射ているな、と思っていたので、それなりに楽しみにしていた（そのわりには、一時間ほど遅れてしまった……ゴメン）。

まぁ、始まってみると、予想どおり対談というより、質問攻めであったが、なかなかおもしろかった。ただ、ついつい調子にのりすぎて、言わなくていいことまでベラベラしゃべってしまい、後で少し後悔をしている部分もあるのだが（べつに、いまに始まったことでもないのだが）、カットしてくれと言うのもくやしいし、言ったところでしないだろうから、好きなだけ使ってくれい。

まぁ、それはいいとして、そのとき、この『週刊朝日』の連載の話になったのだが、なんでも彼女は、オレの連載をずっと自分で書いてないと思っていたらしく、事実を知って、ビックリしていた。完全に人まかせとは思っていなかったが、オレの話をテープにとって、それをライターが文章にしていると思っていたらしい（実際、タレントの書いている連載のほとんどはそうらしい、フン）。

いやいや、オレをみくびってもらっては困る。私生活はともかく、仕事においては、いっさい人まかせにしない。人にも厳しいが、自分にはもっと厳しい、男《お》ットコ前芸人なのだ。どんなに忙しくても、しめきりに間に合わなかったことは、一度もない（この先はわからんけど、エヘ）。

まぁ、ナンシーさんが、そう思われるのもわかる気もする。素人とは思えない文才（もともと頭がいいからね）、大阪弁で書いていないところも、誤解をまねく点だろう。

これはよく言われるのだが、いい機会なので、チョット書いておこう。単純に、大阪弁というのは、文字にするとどうも関西人以外には読みづらい。それに緊張と緩和と言おうか、たまに大阪弁を使うほうが効果がある、と思うのだが、どうだろうか?

何にしても、発売される前に、担当のほうで多少のカットや手直しはしているようだが、正真正銘オレが一〇〇パーセント書いてることは確かだ。

ただ、これもいい機会なので書いておくが、一〇〇パーセントオレが書いていても、一〇〇パーセント真実(本音)ではない。たまに手紙で、前の回のあの部分はおかしいなど と、的を射た指摘を書いてくるヤツがいるが、そんなことはあたり前なのだ。〝だって、わざとそうしてるんだも〜ん〟。そう、一割ぐらいはワザとウソを書いているのだ。

だってそうでしょう。この雑誌は、素人ばかりが読んでるわけではない。お笑いの人間、それを目指している人間も読んでいるのだ。そんな、いわばライバルに、なにも自分からクソ正直に手の内を一〇〇パーセント見せる必要がどこにあるのだ。オレの講義は、そんなに安くはないのだ。

これからも、ちょくちょくウソをまじえながら、連載を続けていこうと思う今日このごろである。

# 深夜番組は外国人ばかり!? 不景気でテレビが危機だ！

「最近テレビがつまらない」なんてことをよく耳にする。まぁ、オレなんかは作る側の立場なわけで、そういう意見を聞くと、正直、悲しくなってしまう。

確かに、つまらん番組があまりにも多い。なかにはつまる（おもしろい）番組もあるのだが、つまらん番組が多すぎるために、いっしょくたにされてしまっていることが、モーレツに腹立たしい。

ちなみに、オレの番組などは、しっかりと見、しっかりと聞いてくれれば、それとは違うということがわかっていただけると思うのだが。まぁ、昔のテレビが、いまとくらべてそんなにおもしろかったとも、オレなんかは思わないのだが。

では、おもしろくないと言われる原因は、いったいどこにあるのだろう。

理由はたくさんあるだろうが、いちばん大きな理由としては、この不景気であろう。単純に、いいものを作ろうと思えばカネがかかる。そのカネがないのだから困ってしまう。

この四月の数々の特番を見てもわかるとおり、「なつかしの〜」「完全保存版〜」「あの感動をもう一度〜」。簡単に言えば、昔のVTRのたれ流しばかりである。いや、それも仕方ないだろう。できるだけカネを使わずに、視聴率をかせごうと思えば、過去の貯蓄に頼るしかないのだろう。

まぁ、この不景気はテレビ局でもかなり深刻な問題のようで、ある局などは、深夜一時すぎには放送終了なんてこともチラッと耳にした。そこまでいかずとも、深夜は古い外国映画ばかりになってしまう可能性大であり、深夜のテレビは外国人ばかりということもありうるのだ。

それは、深夜のテレビまでもつまらなくなってしまうという単純な問題だけじゃなく、テレビ全体が将来的につまらなくなってしまうということなのだ。なぜそうなるのかというと、深夜番組というものは、だいたいが若いスタッフ、若いタレントを育てる所であり、実験的なこともゆるされる時間帯である。そこでいい評価を得たものが、ゴールデンに進出できたりする。その深夜番組がなくなるということは、若いスタッフ、タレントが育たなくなるということで、将来的にテレビは、いま以上につらくなってしまうかもしれない。

そこでオレの考えなのだが、この際いっそのこと、視聴者からカネを取るというのはどうだろう。一世帯につき、ほんの百円でももらえば、テレビ局はかなりうるおう。考えてみれば、電気代だけでおもしろい番組を見ようというのが、ドあつかましい話なのだ。カネも払わずに、局に電話してきて、文句ばっかり言いやがる。〝カネは出さずに、口は出す〟。ちょっと間違っているのではないだろうか。

たとえ百円でも出されていれば、こっちとしても、もう少し素直にその苦情を聞くこともできる。

街を歩いていて、「いつも見たってるぞ」などと言われたとしても、ニッコリ笑って「ありがとう」と言えるかもしれないなぁ、なんてことを考える今日このごろである。

## 無名時代のオレと島田紳助の感動秘話だ！

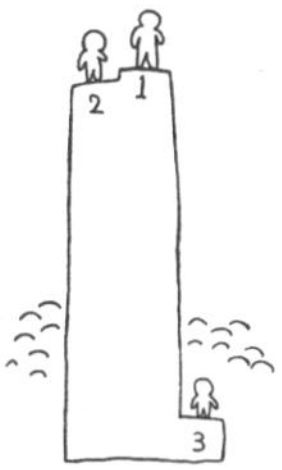

前に一度、島田紳助はオレが認める数少ない芸人の一人だ、などというようなことを書いたが、四月十四日（一九九四年）オンエアの「ダウンタウンDX」（ゲスト・島田紳助）を見て、あらためて書きたくなった。自分の番組を自分で見て、ジーンときてしまったのだ。

もともとオレは、島田紳助にあこがれ、勝負しようと、この世界に入ったのだ。そのダウンタウンに、少なくとも漫才では負けたと、ハッキリと言えてしまう島田紳助に感動したのだ。

その収録の前日から、オレは少し緊張気味だった。言いたいこと、聞きたいことは山ほどあった。その思いが強すぎたのか、いざとなると、一割ほどしか言えなかった。

そう、こんな話もしたかった。あれは紳助・竜介が解散して間もないころ、桂三枝師匠が定期的にやっていた「創作落語の会」に紳助氏が落語家として出るという話を聞いた。めったに人の舞台など見に行かないオレだったが、こればっかりは行かないわけにはいかなかった。

本番前、オレはいちおうあいさつに行った。初体験の落語ということで、緊張気味だった紳助氏に、「がんばってください」と言ったところ、彼はこう言った。

「お前は来るな！　プレッシャーかけに来やがって」

周りの人間は、不思議そうな目でオレを見た。紳助がなぜ、ほとんど無名の新人に、プレッシャーをかけられるのだ？　という目であった。

まぁ、当たり前だろう。二人にしかわからない会話だった。そのことを、彼が覚えているかどうかはわからないが、オレへの彼の評価は、かなり高く、かなり早かった。

紳・竜解散の記者会見でもそうであった。「このまま続けても、紳・竜はサブロー・シロー、ダウンタウンには勝てない」と彼は言った。しつこいようだが、（そのころは）まったく無名だった新人に解散を決意させられたと、全国ネットのワイドショーで言ってしまう彼はすごいのだ（ちなみに、明くる日のスポーツ新聞には〝紳・竜解散！　サブロー・シローらには勝てない〟になってはいたが）。

オレは普段『週刊朝日』の連載で、オレはスゴイ、オレは一番だ、と言っている。読む人が読むと、なんて横柄で自信過剰なヤツなんだと思うかもしれない。でも、オレは虚勢を張っているわけでも、自己暗示をかけているわけでもなんでもない。本当にそう思っているのだ。自分に正直なだけなのだ。だから、もしこの先、自分より才能のあるヤツ、すぐれたヤツが出てきたら、自分よりキャリアがなくとも無名であっても、あの島田紳助のように、素直に負けを認めるつもりだ。ただし、いまのところ、前を見ても後ろを見ても、その気配すらないけどね、ガッハッハッハッ。

P・S　島田紳助は、あくまでもピークを過ぎた紳・竜の漫才がダウンタウンの漫才に負けたと言っているわけであり、すべての面で負けたと言っているわけではないし、オレも、けっしてすべての面で勝ったなどとは思っていない。

# クラブのバカ女ども山口百恵のプライドを知れ

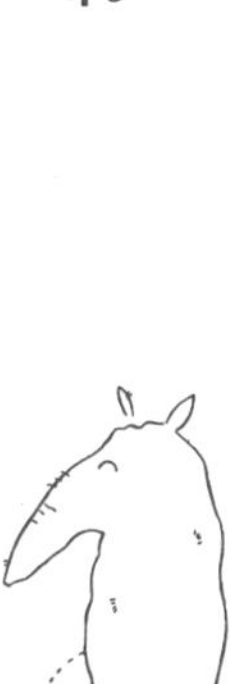


今回はプロフェッショナルについて書いてみよう。日本語にすると〝専門家〟。なんてすてきな言葉だろう。オレはこの一点豪華主義といおうか、ほかはともかく、それに対しては一流というのが、何よりカッコイイと思える。

その反対に、プロというのは名ばかりで素人に毛がはえたようなやつを見ると、ケツをけりあげたくなってしまう。考えてみると、過去にオレがムカッときたことのほとんどがこれにあてはまる。

雨の日、タクシーがなかなかつかまらない道で、やっと止まったタクシーの運転手に、「○○に行ってください」と言ったところ、「ほかのタクシーに乗り換えてくれる?」と言うのだ。「なぜですか」と聞くと、「道がわからないんだよね～」とほざきやがった。オレは当然、この舞台仕込みのノドで、おもいっきり怒鳴りつけてやった。

こういうやつに出会うと、一日じゅう気分が悪い。百歩譲って、道がわからないのは仕方ないとしても、プロなら地図で調べたり、人に聞いたりするのが当然だ。どんな仕事だろうが、それでカネをもらい、飯を食っている以上、プロなのだ。もう少し自覚を持ってもらいたいものだ。

オレはあまり好きではないのだが、仕事がら、たまにクラブなるものに連れて行かれる。と、決まってムカついて帰ることになる。そう、あのクラブのバカ女どもだ。

こっちがコメディアンだとわかると、十人中九人が、「何かおもしろい話して〜」とアホ丸出しの顔で言いやがる。

こっちは客としてきてるわけで、お前らは仕事なのだ。なぜオレがお前らを笑わして、カネを払わなければならないのだ。怒鳴るのもバカらしくてムッとしていると、「普段はおとなしいのネ」。う〜ん殺したい。

タクシーの運転手にせよ、クラブのバカ女にせよ、プロとしてのプライドがないのだ。道がわからないことはハジだと思えないのか？　客を楽しませてなんぼのクラブの女が、「おもしろい話して〜」となぜ言えてしまうのだ？　お前たちの存在理由は何なんだ？

プライドを持て！

そういえば、こんな話を思い出した。昔、大阪の生放送公開番組に、山口百恵が出演した。彼女の歌の前に動物を使ったコーナーがあり、ステージでなんとアリクイがしょんべんをしてしまった。なんでもアリクイのしょんべんはかなり悪臭らしく、出演者も客も臭さに耐えきれず、場内は騒然となっていた。

その状況で、山口百恵は眉一つ動かさず、歌を歌ってのけたのだ。

なんとすばらしいプライドだろうか。中途ハンパな歌手なら、「こんな状況なんかで歌えない」と、中途ハンパなプライドを出してくるのだろうが、彼女のプライドは、アリクイのしょんべんなど吹き飛ばすプライドだったのだ。

いま、世の中にどれだけの数の職業があるかわからないが、どんな職業にせよ、プロフェッショナルとしてのプライドは持っていたいものだ。

## オレの後輩の事件でみなさんにお願いです

たとえば、文房具屋に行ってボールペンを盗む。それはだれがみても、悪いことだとわかる。なぜなら、文房具屋のおっさんが被害者だからだ。

世の中の犯罪は、被害者と加害者がいて成り立っているのではないだろうか?

先日、オレの後輩が逮捕された。その後輩から聞いた話をもとに書かせていただくが、十八歳だという女とSEXをしたところ、それが実は大ウソで、本当は十四歳だったという〝事件〟だ。彼は加害者になったのである（新聞や芸能ニュースでは、そうは報じられていなかったが、そうらしい）。

この場合、活字になると「みだらな行為」とか「いたずら」とか、なにやら陰湿なことをしたようになってしまうが、ただSEXをしただけなのである（もちろん、お互い同意のうえだという）。しかも、その女が警察に訴えたわけではなく、別の事件の関連で警察が知ったのだ。

さぁ、どうだろう。彼はそんなに悪いことをしたのだろうか？　オレにはどう考えても、駐禁でキップを切られたのと同じで、ただ運が悪かったとしか思えない。いや、駐車場に止めたのに、じつはその駐車場がウソだったというところだろう。

オレの周りからも、「かわいそう」「運が悪かった」という声しか聞こえてこない。彼が悪いというヤツは、一人もいないのだ。

しかし、彼の名前はでかでかと、さんづけもなしで出てしまった。しかも、吉本興業を無期限謹慎の処分となり、テレビ・ラジオの仕事もいっさいできずに、収入がゼロになってしまうのだ。

なんともやりきれない話である。

オレは芸能人が事件を起こしたときにいつも思うのだが、なぜ、しばらくテレビに出られなくなってしまうのだろうか？　刑務所に入っているならいざ知らず、罰金を払うなりして罪をつぐなったのに、なぜなのだろう。

芸能人がテレビに出られないというのは、死活問題であり、まさか最近までテレビに出ていた人間が、マクドナルドでアルバイトするわけにもいかない。死ねと言っているのと同じである。もし、それが罰ということなら、むしろテレビに出たおしてあやまりまくるほうが、ずっと罰になるのではないだろうか。

オレは、彼がデビューしたころから知っているが、実に才能のあるヤツで、タレントとしてはまだまだ半人前であるが、将来性はかなりあるヤツだと思う。このことで、彼の人生がメチャクチャになってしまうのは、あまりにも悲しすぎる。

近々オレは、吉本に彼の復帰をお願いしにいこうと思っている。半年かかるか、一年かかるかわからないが、もう一度、チャンスを与えてやってもらいたい。

そして、これを読んだみなさんにお願いしたいのですが、彼が復帰したときは、どうかあたたかい目で、かつ変な同情のない目で見守ってやっていただきたいと思います。お願いします。

松本　人志

# チヤホヤされて喜ぶほどバカでも無神経でもないゾ！

ダウンタウン特集のようなものをよく雑誌でやっている。〝そのとき、松ちゃんはどうしたこうした〟〝あのとき、浜ちゃんはこう言った〟……などなど、お気づきの方も多いと思うが、ダウンタウンのまわりの人間の意見ばかりで、本人たちのコメントがいっさいないのだ。もちろん、写真も何かの寄せ集めばかりである。

きっと皆さんは、ダウンタウンは取材が嫌いなのだろうと思っているに違いない。業界でも、そう思われているようだ。

ハッキリ言おう、オレは取材が好きだ。できるだけ仕事の合間をぬって、いろんな雑誌に出たいと思っている。

なのに、なぜこういうことになるのか？　まわりが変な気を使いすぎているのだ。

きっと会社には、雑誌社からの取材の依頼はきているのだろうが、オレの耳に入る前に、勝手に断っているケースが非常に多いのだ。いや、確かに誤解をまねくのも無理はない。

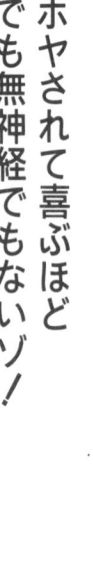

いままで何回か、取材中にキレて帰ったりしたこともあった。でも、それはインタビュアーがあまりにもバカだったり、カメラマンがアホだったりしたからで、取材が嫌いなわけではないのだ。

話が少しズレるが、インタビュアーもピンからキリまでいて、「松ちゃんはホモですか？」とか、真顔で聞いてくるヤツがいる。そんな小動物と、話すことなど何もない。カメラマンも、やたらに何枚も撮るヤツがいる。オレに言わせれば、二枚ほど撮って、いいほうを使えばいいのだ。なぜ、あんなに撮らなければならないのだろう。ヘタな鉄砲も数撃ちゃ当たるということか？

だいたい、三十過ぎのおっさん二人が、ほっぺたがつくぐらい顔を近づけて、おもしろくも何ともないのにニコニコして、長時間たえろと言うほうが狂っているのだ。

話をもとに戻すが、まわりが変な気を使いすぎて、逆にオレをイライラさせることはけっこう多い。「松ちゃん愛用のサングラス」とか大ウソをこいて、何かのイベントでオークションしたりするのもそうだ。まわりの人間が、わざわざオレの手をわずらわせることもないだろうと、気を使ってくれているのはわかる。にせものでも、まずバレることはないとも思う。

しかしオレにとって、そういうファンへの裏切りは、非常に不愉快で腹立たしいかぎりだ。事前に言ってくれれば、実際にオレの使っているサングラスも用意できたのだが、そんなイベントをやっていることすら知らなかったし、いまではどうすることもできない。二度とこんなことのないように厳重注意しておこう。

タレントというものは売れれば売れるほど、まわりはまるではれものにさわるかのようなあつかいになってくる。チヤホヤされることも多い。でも、そんなことでいい気分になれるほど、オレはバカではない。そして、オレのにせサングラスを本物だと思っているファンの人に悪いことをしたと思わないほど、無神経でもない。

## 来年の三田佳子戦に備えオレのライブは1万円だ!?

九四年の長者番付の発表があった。わたくし、ダウンタウンの松本はなんと、タレント部門のランキングで、三田佳子につづく第二位であった。もちろん、お笑い界で言うと、栄光の（?）堂々第一位ということになる。ハ～ッ（ため息）。

当然、オレよりかせいでいる人はお笑い界に何人かいるのだが、バカ正直に税金を納めると、不思議なことに一位になってしまう。ただ一つ言えるのは、お笑いという名のもとにお笑い以外の仕事でカネをかせいでいる人間の多いなか（ドラマ・歌など）、オレのように、お笑いだけで、人を楽しませるということだけで一番になれたことは、たとえ節税がヘタなだけだと人に言われようが、一つの優越感であることに間違いない。

節税がヘタであるということも、なんかオレらしくていいような気がする。節税のウマい人間は、自分の店を出したり、架空の事務所を作ったりしてゴマかすのだろうが（オレのまわりの人間も、そういうことをしないとソンだとか言ってくれるのだが）、まぁ、もともとオレはじゃまくさがりだし、節税している人がトクしているだけで、節税していないオレがソンをしているとは思えないのである（もう少しヒマができたら、そういうことも考えてみるが）。

昔、貧乏で床のぬけた家に住んでいたオレが、長者番付の上位に入ったということだけでも、ありがたいことだと思おうではないか。こうなったらいっそのこと、もっとバカ正直に、もっと仕事を増やして、来年は三田佳子をぬいて一位になってやろうかとも考えてみたが、やっぱりそれもむなしい。それに、お笑いだけでかせぐのは、もしかしたらこれが限界なのではないかという気もする。

たとえば、歌手なら一発（一曲）当てると印税というものがあり、シャレにならないほどのカネが手元に入る。ヘタすれば、その一曲で死ぬまで食っていけたりもする。コンサートにしてもそうで、チケットの相場は、だいたい一枚五千円である。

お笑いのライブのチケットを五千円にしようもんなら、高い高いとさんざん言われ、よっぽどおもしろくないかぎり、客は絶対に納得しない。いやその前に、客が入るかどうかも疑問である。

そこでというわけでもないのだが、今度オレは、ひっさびさにライブをやろうと思っている（カネを取ってライブをするのは三、四年ぶりか?）。

三十分のコントを三本、一時間半たっぷり、みなさんのご機嫌をうかがおうと思っている（もちろん新作で）。夏ぐらいに向けて、ぼちぼちケイコに入る。

さて、気になるチケットのお値段のほうだが、お一人様一万円は取りたい。オレがやる以上、それぐらいは払っていただく。もちろん、それだけのものは見せるし、絶対、ソンはさせない。

これはある意味、一つの挑戦である。一時間半で一万円分客を楽しませることができるかどうかの、プレッシャーとの戦いである。そういう意味の一万円であり、来年、三田佳子に勝つためのものではない。

# 笑ってあげる!? クソくらえ オレは笑わせタレントだっ！

今回はお笑いタレントにおける笑いに対する姿勢について書くので、まぁ読みたまえ。

半年くらい前だったか、かなりムカついたことがあった。オレのやっている深夜番組での出来事なのだが、その番組はハガキで募集した一般客の前で、まぁ簡単に言えば大喜利のようなことをやる。この手の公開番組には必ずといってよいほど、前説というものがあり、アシスタントディレクターや、若いあまり売れてないお笑いタレントなどが、本番前の客の緊張をほぐしたり、場を盛り上げたり、本番中の注意事項を説明したりするのである。

その前説でなんと、そのクソＡＤは、「本番中、あまりおもしろくなくても、できるだけ笑ってあげてくださいね～」などとぬかしやがったからタマラナイ。オレのいかりはピークに達したのだ。

「笑ってあげてください」。もう一度書いておこう。「笑ってあげてください」ときたもんだ。

オレはふだんでも、たとえば彼女に「部屋、そうじしてあげようか?」と言われても、そんな言い方されるぐらいならしていらん! と思う男なのに、あの前説には体じゅうの血管が全部浮き出るほどムカついた。

そしたら何かい! オレは笑ってもらうために、お笑いやっとんのか? この世界に入って十三年、客に笑ってもらってたんか? いや、違う。オレは、いままでいっぺんたりとも「笑ってくださいね~」という気持ちで、舞台・番組に取り組んだことはない。笑わしたってるとまではさすがに思わないが、笑わすつもりでやってきた。オレは、《笑ってくださいねータレント》でもなければ、《笑われタレント》でもない。《笑わせタレント》なのだ!

きっとそのADは、あまり深く考えないで言ったのだろうが、ふだんからそういう姿勢で番組に取り組んでいるという事実は否めないだろう。オレの番組にかかわる人たちには、「まぁ見なさい。笑えるから」くらいの姿勢でやってもらいたいものだ。客にコビたような笑いなど、クソくらえだ!

そう言えば、テレビを見ても「見てくださいね~」と言わんばかりの番組もけっこう多い。そんなもんは、結局、自信のない証拠だ。極端な話、「見るな!」と言ったところで、本当におもしろければ見るはずだ。

そうそう、このあいだトミーズの番組を見ていたら、スタジオ観覧に来ていた客一人ひとりにエンディングで握手していた。あくまでも友達として言わせてもらうが、ああいうのは絶対にやめるべきだ。オレの根性が曲がっているかもしれないが、やっぱり客にコビてるようにしか見えない。その番組がおもしろければ、そんなことはしなくても客は見に来るだろうし、トミーズがおもしろければ、そんなことをしないでも、ファンは減らない。

もし、そんなつもりでやっているのではない、握手に深い意味はないというのなら、それを続けるのは勝手だが、ＯＡする必要はないのではないだろうか。その分、一つでも多く笑わせてもらいたい。

友達として言わせていただいた。

## 天才少女の親たちに告ぐ、人間、はえてからが勝負だ！

高校を卒業して、「吉本興業に入りたい！」と言ったとき、オレのおやじは猛反対した。いや、猛反対というのはあまりにも聞こえがよすぎる。反対するということは、いわば子

を思う親心。ある意味、愛情の裏返しである。オレのおやじは、やりたかったらやればいい、ただおまえみたいなもんができるわけがない、成功するわけがない、と決めつけていた。

しかも、オレに直接言うわけでもなく、母親に言うと見せかけ、隣の部屋にオレがいることをわかったうえで、コンコンと約二時間にわたって言われたものだ。正直、あのときオレは、生まれて初めて殺意を覚えたものである。

しかし、あれから十数年、そのおやじもいまや、オレの買ってやったマンションに住み、オレの仕送りで生活している（勝った）。

いや、チョット待ってくれ、べつに何もおやじの悪口を書きたかったわけではない。むしろ、感謝しているのだ。事実、吉本に入って最初の何年かは、おやじへの復讐心でがんばれた。あのときのおやじの言葉がなかったら、一年もたたないうちにやめて、いまごろはスーパーボール釣りのおっさんになっていたかもしれない。

いや、もしかしたらすべて、オレを燃えさせるためのおやじの計算だったのかもしれない。いやいや、あのおっさんが、そこまで頭が回るわけがない。繰り返すが、おやじの悪口を言いたいわけではない。オレが言いたいのは、親というものはそんなもんだし、またそうあるべきなのだ。

自分の子供に、必要以上の期待をしてはいけないし、過大評価してほしくない。子役タレントなどの親は何を考えているのだろうか。まだ幼い、何もわからない子供を必死でプッシュする親ほど気持ちの悪いものはない。

たとえば、天才卓球少女（？）あいちゃん。子供のうちから天才と言われて、天才であったためしがない。いや、本当に天才であったとしても、幼いころから、まわりの大人たちに天才天才と言われたら、天才でなくなってしまうのだ（努力をしないからね）。卓球好きの少女・あいちゃんでよいではないか。

大人が変な加工をしようとするから、無理が出てくるのだ。ガキはガキ、未熟だからガキなのだ。人間なんて、チン毛、マン毛が生えそろってからが勝負なのだ。

結局、どんな世界でもスポーツ選手と同じで、人間の輝ける時期というのはせいぜい五年ぐらいだろう。よっぽど努力して、よっぽど才能があったところで、十年ぐらいが限界なのだ。その輝ける時期をいつ迎えられるかが問題であり、二十代で迎えるか？　三十代か？　はたまた四十代か？　あの手のガキどもはまわりの大人たちによって、その時期を人より早められてしまったわけで、ある意味、かわいそうである。

安達祐実があと十年、二十年、芸能界で輝き続けていられるとはとうてい思えない。このあいだ、人気ドラマ「家なき子」をチラッと見たが、かわいそうだと思った。もちろん違う意味で。

# オレが唯一、誕生日を知ってる男、浜田を書くゾ！

小学生のとき、学校にどうも虫の好かんヤツがいた。みんながランドセルを持っているのに、そいつは一人、小学生でありながらサンドバッグのようなカバンを小粋に肩に掛け、直毛のオレたちを尻目にデザインパーマをかけており、当時、大人のあいだで流行していたパンタロンなるものをはいていた。

スペイン人のようないでたちと、異性をタップリ意識した立ち居振る舞いは、オレに嫌われる要素を十二分に満たしていた。しかも、そいつはおっそろしいことに、小学校五年生で彼女がいたのだ。なんというハレンチきわまりない小学生であろうか！

不幸なことに、オレはそいつとよくフロ屋で会った。もちろんオレからしゃべりかけることはなかったし、向こうもオレを嫌っていたのか、オレに接触しようとしなかった。そいつとオレは同じ中学に上がり、中学二年で初めて同じクラスになり、共通の友達を通じて一言二言話すようになり、気がつけば、奇跡的（？）にも親友になってしまったのであった。

その新しい親友の名は浜田雅功といった。それからは何をするにもいつもいっしょで、近所の外国人のパンツを盗んだり、自転車を盗んだり（盗んでばっかかい）、そして十八の春、親友の浜田は相方の浜田に変わった。

考えてみるに、漫才コンビというのは不思議なものである。世間広しといえども、二人で一人という職業は、もしかしたらほかに類のないものかもしれない。刑事ドラマなんかでは、よくコンビで捜査したりもしているが、あれは、あくまでも先輩と後輩の間柄で、対等な立場で力を合わせてやる仕事はこれだけではないだろうか。

聞こえは悪いかもしれないが、コンビを組むと決めた時点で、友達ではなく、いわば商売道具ということになってしまう。このあいだも、浜田が番組の企画でがんばりすぎて体をこわし、三日ほど寝込んでしまったのだが、とりあえず、その時点でオレがいくら元気であっても、仕事はストップしてしまう。いや、極端な話、明日あいつが交通事故で死んだら、オレの収入はゼロになってしまうのだ。もちろん、逆もまた同じである。

非常に大切な人物なのだといって、仕事が終わってからいっしょに遊ぶことなど絶対にないし、プライベートな部分はいっさい知らない。でも、あいつのことはだれよりもよく知っている。

松ちゃんより浜ちゃんのほうが好きと言われればムカつくが、浜ちゃん嫌いと言われてもムカつく。だれの誕生日も覚えないオレだが、気持ち悪いが浜田の誕生日だけはなぜか覚えてしまっている。兄弟のようで、どっちが兄で、どっちが弟というものでもない。

きっとこの関係は、どんなに書きつづってみたところで、一般人にはとうてい理解できないものなのだろう。この先コンビを解散するときが来たとして、あいつが一人でよい仕事をやればやるほど、だれよりもうれしいし、だれよりもむかつく……やはり一般人には理解できないものだと思うが。

## オレの超人ぶりは「クスリ」という疑惑だってあるゾ!

スポーツ新聞やワイドショーなどを見ていると、まぁ、毎日毎日なんなと芸能ニュースもネタがあるもんだなぁ、と感心してしまう。「今日はまったくニュースがありません」という日など、ありえないようだ。

その中でも、たびたび話題に出てくるのが、〝芸能人の麻薬スキャンダル〟なるもの(まぁ、最近では芸能人に限らず、一般の人たちでもけっこうやっている人も多いようだが）。

困った話だなぁと思いつつ、そういえば昔、オレもクスリをやっているのではないか、と言われたことを思い出す。オレの知り合いの知り合いぐらいに、その道にくわしい人がいて、その人がオレの出ているテレビを見ていて、「こいつのこの挙動不審な目、発想は、絶対クスリをやっているに違いない！」と言ったのだ。

ハッハッハッハッ、そうかそうか、常人では到底およびもつかないところから繰り広げられる、オレの独自の超人的発想を目の当たりにしてしまっては、そうカン違いされても仕方ない。とうとうオレのボケも狂人の域に達したか、その道のプロをだませたことはヒジョーにうれしいことである、と喜んでいる自分がチョットこわかったりもする。まぁ、オレなんてもともと、そんなに良いイメージに思われてないし、そう思われているのならそれでもいい。べつに否定することでもないだろう……。

いや、やっぱりちゃんと書いておこう。オレは絶対にクスリなどやっていない！　昔からそういうのが大嫌いなのだ。高校のころでも、シンナーをやっている友達も周りにたくさんいたが、オレは絶対にやらなかった。といって、べつにいい子ぶっているわけではなく、なぜかそういうのは受けつけないのだ。もし、日本の憲法が改正されて、大麻や覚醒剤が認められても、やらないだろう。簡単に言うと、そういうもののチカラを借りるのがイヤなのだ。

仮に、一度でも手を出してしまってておもしろいネタを考えついても、それは自分の力ではないような気がする。死ぬまで一〇〇パーセント自分の力でやっていきたいのだ。

ええカッコ言うな！　という声が聞こえてきそうだが、オレは事実カッコイイのだから仕方ない。

といって、かつてクスリで捕まった人たちを悪く言う気はべつにない。人に迷惑をかけないかぎり、自分でいいと思ってやっているのだからほっといてやったらいい。ただ、その人たちが残した記録、作品、すべてをオレは認めない。たとえその時期クスリをやっていなかったといっても認めない（オレはね）。

ふだん言いたくても言えないことを、酒の力を借りて言う気の弱いおっさんと同じである。そんなおっさんの言葉を認めろというほうがおかしい。

この先も、芸能人の麻薬スキャンダルはけっして減ることはないだろう。ただ、芸能人もどうせやるならチビチビやらずに、芸能人らしく、ハデに買い占めるぐらいにいったれい！　そうすれば、一般人に回りにくくなって、少しは世のためになるかもよ。

# 口は悪いかもしれないが悪口を言ったことはない！

どうもダウンタウンというのは、人の悪口ばかり言っているというイメージが強いらしい。ただ、正確に言うと、オレは人の悪口はほとんど言ったことがない。辞書で調べてみると、【悪口】＝他人を悪く言うこと、とある。そう、オレは他人の悪い部分を指摘したことはたくさんあるが、悪く言ったことはない（分かる？）。たとえば、柔道のヤワラちゃんがブサイクだ！　と言うのは悪口ではない（分かったね）。

まぁそれはいいとして、オレは、これからという若い子たちを絶対に名指しで悪く言いたくない。ある事件をきっかけにオレはそう誓ったのだ。

あれはオレたちがまだ新人のころだった。よみうりテレビで、お笑いの新人から中堅といわれる人たちを集めて、トーナメント方式で戦うという生放送番組があった。ただ、この番組のほかとちょっと違うところは、ふだん自分たちがやっているネタ以外で勝負するというのがきまりであった。いわゆる、自信のある持ちネタをやらずに勝たなくてはならないのだ（いま考えてみると、それもなにやらおかしな話なのだが）。

そこで、ダウンタウンはさんざん悩んだあげく、漫才をせずにコントをやることにした。ところが、当日いざフタを開けてみるとビックリ、ダウンタウン以外、全員が持ちネタをやっているのだ。そんなきまりを守っているヤツなど一組もいないのだ。といって、いまさら漫才に切り替えるのも癪《しやく》にさわるし、予定どおりコントで勝負し、一回戦を勝ち抜いた。

そして問題の二回戦、与えられた制限時間は確か三分間だったと思うが、なにぶん初めてのネタということもあり、時間を使いきれずに二分くらいで終わってしまった。

そこで登場するのが、その番組の審査委員長であり、うすらバカ面であらせられる藤本義一君だ。

彼はこう言った。

「非常に不愉快です。時間を使いきらないのは逃げているも同然だ。君たちは卑怯だ！」

ちょっと待ってくれ。時間がオーバーするならいざ知らず、時間が短いということは、オレたちはそのぶん不利なわけで、なぜ卑怯なのだろうか？　唯一きまりを守ったわれわれが、なぜ卑怯になるのか？　気がつくとオレは、「こんな番組、二度と出たるかい、ボケッ！」と生放送で怒鳴っていた。

この際、ダウンタウンが卑怯か卑怯じゃないかは問題じゃない。オレが言いたいのは、ほとんど無名の、これからという新人に、藤本義一という、それなりに名の通った大人が、発言に影響力のある大人が、名指しで、しかも生放送でののしったことが許せないということなのだ。

オレは思った。いつか自分が売れて、お笑い界でそれなりの発言権が得られるようになったとき、これからという若いお笑いの人たちを名指しでいたぶるようなルール違反だけは絶対にやめておこうと。そして、それを気づかせてくれたうすらバカ面の藤本君、ありがとう。

## 少々くさいが言わしてもらう
## 雨の日の「ありがとう」

いまから五年ほど前、オレが長年住みなれた大阪を離れ、東京に生活を移したころのことである。

まだ東京では全然売れていなかったころで、毎日毎日が嫌で嫌で仕方がなかった。知り合いもまったくといっていいほどいなかったし、大阪で女に不自由したことがなかったこのオレが、女っ気まったくなしの日々を送っていた（まぁ短期間ではあるが）。

耳に入ってくる言葉といえば標準語ばかりで、どいつもこいつも腹の中では何を考えているのかまったくわからない。東京なんて冷たいヤツらの吹きだまりだと思っていた。いま思うと、何もそこまで拒絶しなくてもいいのにと思うほど嫌っていた。と同時に、大阪への重度のホームシックにかかっていた。

車に乗っているとき、大阪ナンバーの車を見つけただけでうれしくなり、必要以上に道をゆずってあげたくなったり、どこか店に入って、そこに大阪弁の客がいたりしたらこっちからしゃべりかけたくなったりしたものだ。

「大阪に帰りたい」。そればっかり考えていた。

そんなある日、あれはかなりひどい雨の日だった。オレは仕事に向かうべく、タクシーを拾おうとしたのだが、乗車拒否を何度もされて悪戦苦闘していた。

「やっぱり冷たい街やのう」とあきらめかけていたとき、手も上げていないのに、一台のタクシーが目の前に止まった。

「近いですけどいいですか？」と言ったオレに、「松本さんを乗せないわけにいかないでしょう」と、そのおっちゃんは言った。

東京でオレのことを知っていること自体、めずらしいころだっただけに、少しビックリしてしまった。単なるミーハーなおっさんかとも思ったが、目的地に着くまで、べつにしゃべりかけてくるわけでもなく、淡々とそのおっちゃんはタクシーを走らせた。

そして目的地に着き、オレが料金を払おうとすると、おっちゃんはこう言った。「お金はいいです」。さすがにオレもためらってカネを払おうとしていたところに、おっちゃんは「それよりも、絶対天下を取ってくださいよ」とだけ言い残して走り去っていってしまった。かっこいい〜。

と、まぁ、活字にすると少々くさくなってしまうのだが、こう見えてもけっこう単純なオレは、それを機に、ぐだぐだ言わず、東京で一発がんばったるかい！　と思ったのも事実である。それと同時に、あのとき「ありがとう」とお礼を言えなかったことを後悔している。

私的なことで非常に申しわけないのだが、どうしても一度書いておきたかったのだ。

このコラムをそのおっちゃんが読んでいてくれたらさいわいなのだが、考えてみるに、今回のおっちゃんのように、いい人に会って励まされればがんばろうという気になるし、また、ムカつくヤツに会ったら会ったで、そいつを見返すためにもがんばろうという気になる。

とどのつまり、そうやって人間は成長していくわけやね〜。

# そういえば最近、ラブホテルに行ってないから行こう

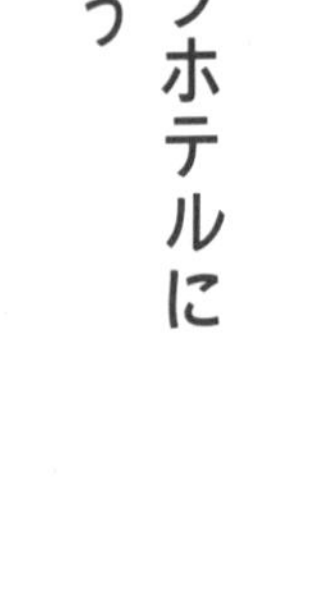

世の中、自意識過剰なやつが多い。このあいだ、頭にきたのが、夜中に細い道を車で走っていたところ、前に女が一人歩いていた。雨が降っており、泥をはじいてもいけないと思い、わりとゆっくりと通り過ぎようとした。そのとき、そのクソ女が急に走りだしたのだ。「タスケテーッ」と言わんばかりである。ムカついた。おまえみたいなブサイク、だれが襲うねん！

テレビで「ねるとん」を見る。たいしてかわいくもない女に、一人の男が「お願いします！」と手を出す。すると女が一言、「ごめんなさい」。じゃかましいわいボケ。その男にしてみたら、番組上、だれか一人選ばないといけないから、仕方なしにおまえで手打ったんじゃい！

オレはふだんから、自分が一番だとか、オレは天才だ！　などと謳《うた》っている。ただ、それはあくまでも〝笑い〟に関しての主張であり、その他の部分では「オレみたいなもん

が」という謙虚な気持ちを人一倍持っている男である。

たとえば、このあいだ〝松ちゃん熱愛発覚〟とテレビや新聞に出たときもそうで、最初リポーターの人たちが来たとき、ノーコメントにさせてもらった。それは逃げたわけでも何でもない。オレに妻子でもいればそこそこおもしろいスキャンダルにもなるだろうが、あんなことでは何もやりようがない。世間の人たちもべつに興味もないと思ったからである。あんなことでわざわざ記者会見をしては申し訳ない。オレがどんな女とつきあおうが、よほどのファンならともかく、一般の人たちにとってはどうでもいいことなのだ（きっと）。

そう考えると、少し前のあるお笑い（?）タレントが〝ラブホテルから朝帰り〟というのは困った事件である。いや、ラブホテルに行くのは全然いいと思う（オレもそういえば、長いあいだ行ってないので、来週ぐらい行こうと思う）。その後の立ち回りが困った話なのである。

必要以上にリポーターから逃げまわったり（聞くところによると、仕事も休んだらしい）、そんなことをすればするほど、自意識過剰ということになる。君が気にするほど、世間の人は君に興味もない（君はハリウッドスターか!）。リポーターの人たちも仕事だから、仕方なしに追いかけているのですよ（この記事が載るころには記者会見をやっていると思うが）。

正直、オレなんて、このニュースを新聞で読んだとき、悔しかった。これは、オレの毛ジラミに匹敵するほどおいしいニュースである。本人は「反省している」と言っているようだが、いったい何に反省しているのかオレにはわからない。もしオレが彼の立場なら、そのラブホテルの前で、そのときの状況を再現つきで記者会見してあげるのに（その場合、浜田に女役でもしてもらうか）。

それにしても、ラブホテルに送り迎えしてくれるとはなんてすばらしい事務所なのだろう。吉本興業とのあまりにも違う態勢に、オレはちょっとびっくりしてしまったぞー。

## きょうこのごろのダウンタウン改造計画（案）

野球でライト前ヒットを狙っていたのに、思いのほか風に乗ってしまいホームランになった。打った本人にしてみれば、うれしい誤算であり、ラッキーということで喜ぶのだろう。でもオレに言わせれば、そんなものはホームランではない。最初の狙いどおりの所に打ってこそプロであり、成功といえるのではないだろうか？　ボウリングにたとえるなら、ストライクが一番とされているが、最初に○番のピンと○番のピンを残すと宣言して、それをやってのけたほうが上だと思う。

オレが言いたいのは、ダウンタウンはそれをやってのけたコンビなのであるということだ（簡単に言うと自慢話である）。子供、年寄りはいっさい無視して、若い層だけに支持されることにしぼり込み、何でもいいからとにかく売れればいいという安易な考え方を捨ててやってきた。そして現在、その計画どおり、子供、年寄りには全然支持されない売れっ子に成長したわけである。

そういえば、前に一度、ロケでサンリオピューロランドに行き、何千人という子供たちの前に出て行ったときの反応のなさは、スゴイものであった。若いお母さんたちが、「ほら松ちゃんよ！　浜ちゃんよ！」と必死であおっているのだが、子供たちの目は、あきらかにキティちゃんにいっていた。年寄りにしてもそうで、いまだに、「あっ！　ウッチャンナンチャンだ」とオレを指さすババアは後を絶たない。考えてみると、売れてる売れてると言ったところで、たかだかその程度のものなのだ。もちろん、それもまぁオレの計画どおりなのだが。

前に、上岡龍太郎に、ダウンタウンはなぜ人の番組にゲストとして出ないのか？　という質問を投げかけられたことがある。理由はいくつかある。単純に値打ちをつけるためということも、正直ある。ゲストとして出たいという番組がないということもある。

でも、いちばん大きな理由としては、広く浅く支持されることよりも、狭くても深く支持されることを選んだからであり、ダウンタウンの番組には、必ず〝ダウンタウンの〜〟という冠がつく。番組欄を見たとき、ダウンタウンに興味のない人は、まずそれを見ようとしないだろう。その逆に、好きな人はビデオに撮ってでも見ようとするだろう。ハッキリ言って、これを続けている以上、ファンはより根強いファンになることはあっても、それ以上増えることはまずないのである。

当初の計画どおり、まんまと成功をおさめたダウンタウンだが、そろそろ改革の時機が来た気がする。次なる計画をたてていかなければならない。いままでは狭く深くやってきたわけだが、これからは広く深くやっていこうという気になっている。

何も子供、年寄りに理解できるような、わかりやすい笑いをやるというわけではなく、若い層以外にも、ダウンタウンを気に入る人たちもいるかもしれないという仮説のもと、その人たちに一度ぐらいチャンスをあげてもいいかなという気になってきた今日このごろである。

# お笑いタレントとして体を張ることの意味は……

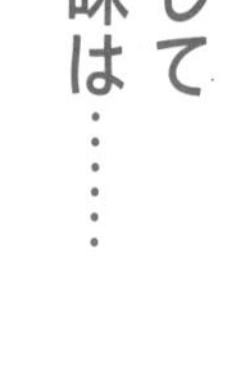

「ダウンタウンは体を張って仕事をしていない」と言うヤツがいる。いったいどういう意味なのだろう？　例えば、番組でバンジージャンプをやってみたり、泥だらけになったりすれば＝《イコール》体を張っている、ということになるのだろうか？　いやいや、君たちそれは全然違うのよ。そんなものは、しょせんビジュアル的な問題でしかない。

お笑いタレントとして体を張るということの意味を、今回は書きたいと思う。以前、芸能人の長者番付のランキングで、オレが二位なのに対して、相方の浜田はなぜ四位なのか？　とワイドショーなどでいろいろ言われていた。

単純にあいつには扶養家族がいて、オレは独身であったりという理由もあるのだが、いちばん大きな原因として、オレはほとんどのレギュラー番組で企画・構成料というものをもらっているのだ。もちろん、そんな大した額ではないが、その少しずつの差が一年間であれぐらいの順位の差になるのである。といっても、ほんの二年ほど前からのことであるが。

それまでは、仕事が終わると浜田はすぐに帰るのに、オレだけが残って、スタッフと何時間も次の打ち合わせをすることに、正直、自分だけがプライベートの時間を削ってまで仕事の続きをしている、ソンをしているような気持ちがあった。そこで、たとえ少なくても、企画・構成料としてカネをもらうことによって、自分自身も納得でき、二人の間のわだかまりのようなものもなくなるという寸法であった。

これがなかなか大変な作業なのだ。例えば夜中の二時に仕事が終わる。しかし、それはプレイヤー松本の仕事が終わったわけで、それからは裏方松本の仕事が始まるのだ。今日の反省点から始まって、何だかんだと言っているうちに、そろそろ外は明るくなってくる。朝の光を浴び、一人家路に向かうとき、オレがいま、日本一がんばってるコメディアンだと実感できる瞬間なのだ。

バンジージャンプや泥だらけになることも体を張っていると言えるし、それで人を楽しますことはステキなことだと思う。でも、こういう体の張り方もあるということもわかってほしいのである。

日テレ「ガキの使いやあらへんで!!」では、毎週二人でフリートークをしている。いまだに人から「打ち合わせしてるんでしょ?」と言われるが、それは絶対ない! まったくのアドリブである。

正直、オレは毎週、舞台に上がる前はすごく怖い。考えてみればそれは当たり前のことである。たくさんの人の前に、頭の中がほとんどからっぽの状態で出ていき、笑いを取らなければならないのだ。今日こそはスベるんじゃないだろうか？　今日こそはシラケるんじゃないだろうか？　と不安な気持ちにならないほうがおかしいのだ。

そう、こういう体の張り方もあるのだ。結局、ダウンタウンの番組のそのほとんどは、おもしろくなければ直接自分たちに返ってくる、ごまかしようのないものなのだ。そう考えると、体を張っていないどころか、タレント生命さえもかけている……とまで言うのはオーバーか？

## 頭の悪いヤツは立入禁止 1万円ライブはすぐそこだ!!

いや〜、大変、大変。前にも一度この連載で書いたと思うが、あの松本人志・企画・演出・出演の一万円ライブの日が迫ってきたのである。考えることが山ほどあって頭の中はパニックである。

正直なところ、不安がまったくないと言えばウソになる。このあいだもらったファンレターに、〝私は一万円が高いとは思いません。だって久しぶりのダウンタウンさんのライブですもの……〟（いや、浜田は出えへんねんけど）。うん、もしかしたら浜田なしの一万円では客が入らないかもしれない。お笑いのライブで一万円というのは前代未聞のことらしいのだ（えーい、客席がガラガラならそれでええわい！）。

そもそも、この一万円というのにはいくつかの理由がある。最近、特に感じるのだが、お笑いのライブで客が何人入ったとか、立ち見が何人だとか、入りきれない客が表で何人だとか、電話予約が何分でSOLD　OUTだとか……。それがいったい、どないしてん！　である。

アイドル歌手やミュージシャンでもあるまいし、そんなもんは二の次、三の次である。問題は、見に来た客を笑わせたかどうか？　納得させたかどうか？　勝ったかどうか？　である。動員力のあるほうが上だというなら、お笑いはサッカー、野球のずっと下ということになる。これはテレビの視聴率にも同じことがいえるが、数字よりも肝心なのは内容である（こんな当たり前のことをわかってないヤツが多すぎる）。

だいたいお笑いのライブは、多くて三百人くらいの客が限界である。それ以上のキャパシティーとなると、広すぎて演者のこまかい表情や動きがわからない。笑わすことを一番に考えれば、客は多すぎないほうがいい。まぁハッキリ言って、オレがライブをやるのに、二千円や三千円だと客が集まりすぎる。そういう意味の一万円である。

次に、見に来る者に緊張感を与えるという意味がある。「なんか久しぶりにライブをやりよるらしいから、ちょっと見に行ったろかい」と気軽に来られる金額ではない。本当に好きな人だけが見に来てくれるライブにしたいのだ。

昔、大阪でアイドル扱いされていたころ、漫才の途中で「サインして〜」と叫ぶヤツや、大事なところで紙テープを投げるヤツが後を絶たなかった。そんな小動物が見に来られない値段にしたかったのだ。

もちろん、自分にプレッシャーをかけるという意味もある。そしていま、お笑いというものに、それだけの金額を出せる人たちがどれだけいるのか確かめてみたいのだ。当然のことながら、舞台に特別カネをかけるつもりもなければ、びっくりするような仕掛けがあるわけでもない。ただ、純粋にコントをやるだけである。

とにもかくにも、二十世紀最後の天才・松本人志の前代未聞一万円ライブは、もうそこまで迫って来ている。高いか安いかは、見に来た人にしかわからない。そして、頭の悪いヤツにはわからない。

P・S　板尾創路《いたおいつじ》も帰って来るぞ。

# そんなこんなを踏まえればオレには芸がないのである

「電車に乗っていたら、隣に座った若いサラリーマンがダウンタウンのことをすごくほめてたよ」などと、知り合いがオレに教えてくれたりする。もちろん、オレとしても気分のいいことである。

確かにテレビや雑誌を見ていても、ダウンタウンを悪く言っているのをあまり見ない。好き勝手にやらしてもらっているわりには、全体的に好意的である。これもふだんの笑いに対する前向きな姿勢のたまものであろう。

とは言っても、たまに雑誌などで悪く書いているヤツもいるにはいる。ただ、何が言いたいのかよくわからなかったり、スットンキョウな指摘をしてたり、〝なんかムリしてるなぁ〜〟という感じである。あえてダウンタウンを悪く言うことで、「オレはキレもんやで〜」「アナーキーやで〜」と言いたいのだろうが、全然説得力がなく、結局、自分が損をするハメになるだけなのだ。

このあいだ、送られてきたハガキに目を通していると、〝〇〇さんが、ダウンタウンは芸がない！　と言っていました〟というものがあった（オレが直接それを聞いたわけではないので、いちおう名前は伏せときます）。一瞬ムッときたが、数秒後、〝芸がないと言えばないだろうなぁ〜〟で落ち着いた。ハガキの主はえらく〇〇さんにおこっているようで、その主には悪いのだが、オレはキミといっしょにおこれない。なぜならオレ自身、芸で人を笑わせたという記憶があまりないからだ。

オレの好きな喜劇役者に藤山寛美《ふじやまかんび》という人がいる。ご存じ、松竹新喜劇の座長で、平成二年に亡くなられるまでのあいだ、連続二百四十八カ月の舞台をやってのけた人物である。オレは、いまでもこの人のビデオをよく見るが、何度見てもあきない。こういう人こそ芸で人を笑わせる人というのだと思う。

ただ、藤山寛美という人がおもしろい人かというと、それはちょっと違う気がする。そう、この人は、おもしろい人を演じることの天才なのである。この人が素で舞台に上がり、フリートークをしたところで、ドッカンドッカンうけるとは思えない。意表をつくギャグを放つとは思えないのである。

オレは確かに、この人に比べたら芸はない。開き直ってるわけではない。オレにとって、笑いとは発想なのである。おもしろい人を演じることでは負けていたとしても、おもしろい人では絶対負けない。芸で人を笑わすより、自分自身で人を笑わしたいのだ。

芸があることは、スゴク有利なことだと思う。発想だけで人を笑わすのは非常に怖いことだ。〝何度見ても笑える〟とはなりにくいし、四十、五十までその発想を持続できるとは限らない。したがって、どうか古い人たちよ、芸がないことをまるで卑怯のように言うのはやめていただきたい。芸がないぶん、ほかで補っているのだから。

そして○○さん、そんなこんなも全部踏まえたうえで、〝ダウンタウンは芸がない〟と言っているのなら、答えは○《マル》である。

## この〝禁煙ブーム〟はなんとか阻止せねばならない

愛煙家には非常に住みづらい世の中になった。頭脳&肉体労働のオレなんかにとって、タバコはストレス解消の唯一のアイテムであり、絶対、欠かすことのできない必需品である。喫茶店に入っても、喫煙席と言えば、出口にほど近いせわしない場所である。いかにも「茶飲んだら早く出ていかんかい!」と言わんばかりである。旅行に行こうもんなら、空港に足を一歩踏み入れたそのときから、目的地の空港を一歩出るそのときまで、一服た

りともゆるされなかったりする（なんか楽しないぞ〜）。

「働くようになったら、いつでも好きなだけ吸える」と、親や先生に高校のとき言われたあの言葉は、どうやらウソだったようだ。なぜ、こんなに禁煙運動がさかんになってしまったのだろう？

もとはと言えば、これはアメリカ人がやり始めたことじゃないのか。考えてみるに、アメリカから日本に来たものでロクなものはない。ウーマンリブ（じゃかましいわい！）、セクシュアル・ハラスメント（自意識過剰じゃ！）。やはり日本は鎖国を続けるべきだったのである。

なぜ、日本人はすぐそうやってアメリカ人に感化されてしまうのだろう？　アメリカ人がそんなにえらいのか？　オレに言わしてみると、そんなたいした人種ちゃうぞ。前にニュースでちらっと見たのだが、〝日本の有名人は？〟とアメリカの学生に聞いたところ、〝ニンジャ〟と答えるヤツがけっこう多く、なかには〝ブルース・リー〟と答えるスットンキョウなヤツもいた。〝日本の総理大臣は？〟という問いにはほとんど答えられなかった。ニュースキャスターは言った。「しょせん、日本人の知名度なんて低いものですねぇ」

いやいや低いのは日本人の知名度じゃなくアメリカ人の知能だろう！　日本の総理大臣の名前は知っとかなあかんのとちゃうの？

もう一つムカついたのが、在日アメリカ人が「日本人はマナーが悪い」とか、ぬかしやがったことだ。年間何万人とピストルで死んでるヤツらに言われたないわい、ボケ！

話をもとに戻すが、この禁煙ブーム（あえてブームと言わしてもらおう）をなんとか阻止しなければならない。ヘビースモーカーのオレにとって、タバコを吸えないのは、百害あって一利なしなのだ。よくこんな話を耳にする。タバコを吸わない人が横でタバコを十本吸われると、一本吸ったことになる。こっちは十本も吸っとんじゃ、一本くらい吸えっ！　である。

オレが言いたいのは、みんな生きていくうえで、どこかで少しずつガマンしているのだ。バイクの騒音、子供の泣き声、息のくさいオヤジ。社会の中で生きていく以上、ある程度は仕方のないことなのだ。オレもどこかでガマンしている。あなたたちも一本分ぐらいガマンしなさい。

これを読んだ嫌煙家の人は、「だからタバコをガマンしろ」と言うだろう。でも、タバコを吸われることをガマンするほうが、吸うのをガマンするよりずっと楽だということをオレは知っている。

# オレがしたためた『遺書』ホンモノだ！ 買いたまえ！

いよいよと言おうか、予想どおりと言おうか、この連載が一冊の本になるのだ。子供のころから、ものを書くことがけっして得意ではなかったオレが、何事にも、すぐあきてしまうこのオレが、一年間も続けてきたこの連載が、である。

正直言って、この一年間、この仕事を引き受けたことを何度も後悔してきた。「このクソいそがしいときに、こんな地味な作業やってられるかい！」の連続であった。それでも、なんとかここまでやってこれたのは、みなさんの熱い声援と、オレの熱い魂の叫びであろう（カッコイイ〜）。

実際、この連載を読んで送られてくるファンレターは、何て言うか、気迫のようなものが感じられる。オレの笑いについての細かい分析であったり、それこそ崇拝に近いものであったり、このままいくとオレは教祖様ということになる（それも当然と言えば当然だが）。ヘタなことはでけんぞ——というプレッシャー的なものを感じる。たとえば、道を歩いていて、「いつもテレビ見てます」と言われれば、「あっそう」なのだが、「週刊朝日読んでます」と言われたら、「それはそれは、どうもありがとう」になってしまう。妙に、いい人ぶってしまうのだ。ウンコやオナニーをしていても、悪いことをしているような気になってしまう。

さて、本のタイトルだが、『遺書』とさせていただいた。

この連載を始めるにあたってオレが考えたことは、まず、オレの日常生活のことや失敗談、それこそ、ざれ言のようなものは書きたくなかった（そんなのは、ファンクラブの会報にでも書けばいい）。かといって、文化人のように、風刺や時事ネタを書くのも、ちょっと違うと思った。やはりオレが書くのなら、〝笑い〟をテーマにしたかった。それなら、ものを書くことが不慣れなオレでも、情熱で補えると踏んだのだ。そして、それが一冊の本になるまでは、それをまっとうしたかったのだ。いつか、オレがこの世界から身を引いたとき、こんな芸人もいたのだということを、一つの形で残したかった。そう考えれば、『遺書』というタイトルは、ごく自然の成り行きであり、何の矛盾も感じない。

オレは、いつもこの手のもの（本・CDなど）を出すときに、ほとんど宣伝というものをやらない。ああいったものはどうも苦手である。そりゃ、オレは自分の番組というものを五本やっており、それを通じて売り込むことは容易なのだが、なんかやる気がしない。「買ってくださいね〜」というのは好きになれない。ああいうのは、言えば言うほど安っぽくなるような気がする。弱い犬ほどよく吠えるというような気がするのだ。

そう言えば、昔イヤイヤ出したCDを「笑っていいとも！」で宣伝しなければならなくなり、自分で床に叩きつけて踏んづけたことを思い出す（周りの人間は引いていた）。

しかし、今回だけは、宣伝しよう。一家に一冊、いや一人一冊買おうではないか！　なぜなら、それはオレの遺書なのだから。

## ライブでまたまた実感した笑いと悪についての関係

笑いというものは、非常に間違った解釈をされやすい。いまだに、「お笑い番組はすべて低俗だ！」と思っている人が多い。また、お笑いタレントはバカではできない、という事実を認めていない人もたくさんいる。そんなやつらは、この連載で何を書いたところで、見る目（聞く耳の類似語）を持たないだろうし、オレの連載をそんなやつらのために使う気もしない。しかし、お笑いが好きなやつらの中にも、間違った解釈をしているやつがたくさんいるということを、最近やったライブでつくづく感じた。それは、ハッキリとここ

で解決しなければいけないと思い、ペンを執ったしだいである。

ライブの中に、「松本人志の写真で一言」というコーナーがあった。いろんな雑誌や本の切り抜き写真をスライドで見せ、オレが一言たしていくといういかにもオレらしいシュールなものである。

その中に難民の子供の写真があり、オレはそれに向かって、「ワシャ○○か?」と言った(まだライブ中により、ネタばらしになるので、あえて伏せる)。客席の半分、いやそれ以上が笑わなかった。

オレは不思議であった。ライブでは客の一人ひとりにアンケートを書いてもらっている。それによると〝おもしろかったけど、正義が邪魔して笑えなかった〟というのが、あの反応の答えのようであった。笑わなかった君たちが正義だとしたら、笑わそうとしたオレは悪ということになる。

まぁ、そんなことはどうでもいい。オレが言いたいのは、なぜあそこで笑うことが悪なのか? ということだ。多くの人は、だれかを何かにたとえて笑いにしたとき、それを笑うことはたとえられた人に失礼だと考えているようだが、それがそもそもの大きな間違いである。オレがその子供を○○にたとえて客が笑っても、その子供がおもしろいのではなく、オレの発想がおもしろいのだ。なぜその発想がおもしろいと笑えないのだろう?

それはオレに対してたいへん失礼なことである。子供は何もしていない。オレが一言加えることで笑いを生んだのだ。オレがボケなのだ。もしかしたら、言ったオレは悪かもしれない。でも、それで笑う客は悪ではないのだ。

わかっていただけただろうか？　まだわからない人に、わかりやすく説明してあげよう。〝今いくよくるよ〟をご存じか？　ほとんどの人は、あの人たちの漫才はくるよさん（太）がボケで、いくよさん（細）がツッコミと考えているようだが、まったくの逆である。いくよさんがくるよさんの体などを何かにたとえたりして笑いを取る。笑いを生み出しているのはいくよさんの言葉であり、事実上のボケはいくよさんである。いくら太っているといっても、くるよさんが立っているだけでは笑いにはならないのだ。

わかっていただけただろうか？　あそこで笑うことは何も悪いことではない。罪に問われるとすれば、それはオレなのだ。オレが悪者になって客が笑う。それで何もかもうまくいくのだ。そしてそのためなら、オレはいくらでも悪者になってやる。

# オレは、今年の夏休み、アルバイトをやりたかった

オレは、今年の夏休み、アルバイトをやりたかった。このあいだ、番組でチラッと言ったのだが、ゲストの人たちや客は冗談だと思い笑っていたようだが、本人としては、いたってまじめにそう思っていたのだ。今年の夏は、いろいろと忙しすぎて、残念ながらその夢はかなわなかった。しかし、近いうちに絶対にやってやろうと決めている。

この九月八日でオレは三十一歳になった。吉本興業に入ったときは十八歳。早いもので、十四年目である。高校生くらいのとき、よく親から言われた。「二十歳過ぎると速いで」。そのころのオレは、「何言うとんねん、このオバハン」と思っていたが、まさにそのとおりであった。

新人のころからわりとわがまま勝手にやってきたオレだが、もっとムチャをしとけばよかったと後悔している。よく青春ドラマなどで「青春は二度と帰らない」とか「レッツ・ビギン～とにかく何かを始めよう」などとうたっていたが、当時のオレはそんな言葉を完

全に聞き流していた。しかし、いま考えてみると、あれはまんざらウソではなかったようだ。くさい、くさいとバカにはできない。

たとえば、新人のころ、もっと舞台でムチャクチャすべきだった。チンポを出して走り回るもよし、客と殴り合いのケンカをするもよし、場合によっては舞台でウンコしてやってもよかったと思う。もうオレの年・ランクになってはなかなかできにくいことであっても、あのころならできたのではないだろうか？

そりゃ、そのときはメチャクチャ上の人からおこられるだろう。クビ寸前のところまでいってしまうかもしれない。でも、そんなものは時間がたてば解決する問題であり、舞台でしたウンコのにおいは消えても、その破天荒な伝説は永久に残るのだ。

昔、笑福亭鶴瓶《しょうふくていつるべ》さんが全国ネットの生放送の番組で、カメラに向かって肛門を出したらしい。もちろん、こっぴどくおこられただろうし、番組も降ろされただろうが、いまとなっては芸人の勲章であり、オレに言わせればすばらしい美談である。そう、もっともっと伝説や美談をつくっておくべきだったと悔やんでいる。もっともっといろんなことにチャレンジしなかった自分を悔やんでいる。

いま、ダウンタウンは非常に順調にいっているといえよう。このままこの流れに身をまかせていればいいのかもしれない。ただ、オレの中で何か納得できないものがある。このままごく普通の芸能人になってしまうことを拒否している自分がいるのだ。といって、急に一人で外国に旅立つというカッコイイこともオレにはできない。そこでアルバイトという発想につながる。

一日じゅうセメントをこねるのもいいだろう。ドーナツを売るのもなかなかよい。新聞配達というのも捨てがたい。それらを番組の企画というのではなく、素で体験してみたいのだ。さすれば、いままでよりもさらにパワーアップした天才・ダウンタウン松本が生まれるような気がするのだが……。

## 世のサンピン芸人ども、オレ様との才能の差を泣け

吐き気がした。何度味わっても、あの緊張感は慣れるものではない。

考えてみると、何日間もあまり寝ていない日が続いていた。客ときたら、当然のことながら一万円、いやそれ以上笑わせろという気迫で来ている。芸能人、評論家といわれる人たちも予想以上に多かった。普通こういう場合、そういった人たちからはカネを取らないものだが、ほとんどの人たちは、「いや、カネは払います」ときた。それがオレにとって、

より大きいプレッシャーとなった。

オレは、この間、一万円ライブについて、かなりの大口をたたいてきた。〝絶対にソンはさせない〟〝他の芸人との違いをはっきりと見せてやる〟〝オレが一番だ〟

客の中には、オレがこのライブでケつまずくことを期待しているヤツもいるだろう。浜田なしでどれだけのことができるのか？　わがまま言って、無理して板尾を復帰させといて、もしこのライブがコケたら……。オレの中でいろんな葛藤が頭に渦まき、夢にまで何日も出てきた。

べつに、大阪と東京を差別するつもりはないが、大阪ではいくぶんリラックスしてやれた。それに比べて東京は、コケるとすぐに反応が返ってくる。いろんな雑誌に書き立てられるだろう。いままでオレのやってきたこと、言ってきたこと、書いてきたことすべてがクソになってしまう。

オレにとって、目の前の客を笑わせることなど造作もないことである。「ガキの使いやあらへんで!!」という番組で、毎週打ち合わせなしのフリートークをやっているが、それでハッキリと証明されている。しかし、今回のいちばん大きな目的は、まだだれも手をつけていないコントで笑わすことである。だれもやったことのないコント、だれも笑ったことのないコントで、である。

そんななか、その前人未到のライブの幕は上がった。

もし、笑いの神というものがいるとすれば、間違いなくあの場に降りてきたような気がする。それくらい、オレの計算どおりズバズバ決まった。そうなると、もうだれも止めることはできない。アッという間に一時間四十五分がたち、楽勝の快勝である。

打ち合わせの段階で何回も壁にブチ当たったし、その場はそれで納得しても、家に帰って一人になると、もしかしたらオレは、とんでもない方向に行っているのではないかという不安が襲ってくる。

終わってみると、なぜこの天才松本さまがこれしきのライブで、そんなに不安になっていたのか、という気になる。

今回のライブの成功は、このオレをよりいっそう、図に乗せることになるだろう。しかし、それは仕方のないことだ。このクソ忙しいレギュラー番組・特番の合間をぬって、これだけ完成度の高いライブを、幾多のプレッシャーに打ち勝ち、やってのけてしまうのだから。

年明け早々（一九九五年）に、このライブのビデオが出る。世のサンピン芸人ども、それを見るがいい。そして、このオレさまとおまえらの才能の差を泣け！

# たけしさんの会見でひと言 お笑いに代役などないワイ！

確かに、先日のビートたけし退院記者会見は、いろんな意味でインパクトのあるものであった。翌日のテレビでも、あの人のまわりの人やら一般の人やらのさまざまな意見が飛び交い、あらためてことのデカさを知らされた。ただ、いろんな人たちの、いろんな意見は、ほぼ同じ方向を指しており、大まかにまとめると、《たけし＝エライ》ということのようである。

オレが気になったのは、「ビートたけしの芸人根性がエライ！」という意見。「それはどうかな〜」と言わざるをえない。あの状況で記者会見をしたことが芸人根性と言われてしまっては、芸人のオレとしてはちょっとツライ。芸人ということだけで言うなら、あの状態での記者会見はしないほうがよかったと思うし、完全に治るまで、何がなんでもいっさい顔を出さないことも芸人根性だと思える。

包み隠さず、何でもかんでもさらけ出すことが芸人根性みたいに言われてしまうと、芸人とはいったい何なんだろう？　という疑問が残ってしまう。オレから一つ言えることは、芸人どうこうじゃなく、人間として、あのビートたけしという人は男ットコ前だということである。

あの会見の次の日、知人が「松ちゃんならどうしてた？」と質問してきたが、そんなことはわからない。あのバイク事故を体験し二カ月間、病院のベッドでいろんなことを考えたあげくのあの行動だ。オレならどうしてたか？　などわかるわけがない。

まぁそれはともかくとして、現時点でたけしさんがテレビの仕事をしばらく休業することは間違いないわけである。そうなると、必ずどこかのアホがしようもない疑問を持ち出してくる。〝たけしの穴をうめるのはだれ？〟とか〝第二のたけしはいるのか？〟などというのである。事実、もうすでに書いているヤツもいた。

そんなヤツらにオレから一言、言っといてやろう。

「そんなもんおるわけないやろ、ボケ！」

べつにたけしさんを持ち上げるつもりで言っているわけではない。ほかの世界は知らないが、お笑い界というところは、だれが穴をあけても代役などありえないのであり、それはたけしさんにかぎらず、タモリさんでもそうだし、もちろんダウンタウンも例外ではない。オレのあけた穴を埋められるヤツなどいるわけもないし、もしそんなヤツがいたとしても、そいつは自分のないコピー芸人である。どうかそんなしようもない疑問を出すのはやめてもらいたい。「芸人をなめんな！」と言わしていただく。

そう、最近でこそやっと言われなくなったが、新人のころよく「目指している先輩は？」というなんとも愚問も愚問、大愚問をなげかけられた。個性で勝負のこの世界、だれかを目指してどうすんねん。だれも目指せていないところを目指し、だれも立ったことのないところに立つ。それが芸人ではないのか（少なくともオレはそう思う）。

だれが穴をあけても、自分が埋めようなどと考えたこともないし、考えられたくもない。ましてや、〝第二の○○〟なんてチンカスだ！

オレは、オレの目指した方向に行くだけである。まぁもっとも、オレの目指しているところが、いちばん高いけどね。

## オレ様の『遺書』が5万部!?
## 朝日新聞社よ、なめとんのか！

この国は、おっさん社会である（前にも一度、チラッと書いたと思うが）。若いヤツにいくら才能があっても、その○×《マルバツ》を決めるのはおっさんなわけである。いや、政治家がす

べておっさんだから、おっさんと書いて〝ニッポン〟と読むのだ。

べつにそれが悪いというわけではないのだが、それならそれで、そのおっさんたちには世の中の流れというものを見極める頭脳を持ってもらいたいものだ。今回のオレの連載は、この週刊朝日に活を入れるべく使わせていただく。

まずオレが言いたいのは、「おまえオレをなめとんのか！」ということである。

この連載を始めて一年と三カ月、ハッキリ言ってやめたいと何度も思ったし、休みたいとも思った。ただ、こう見えても、オレは責任感は強いほうで、いったん引き受けた以上、穴はあけたくないし、手抜きもしたくない。何より自分の連載に愛情を持っている。そして、それが『遺書』という一冊の本になり、自分の番組で、あまり好きではない宣伝までしたのだ。

ところがところが発売日、フタをあけてビックリ！　オレの努力の結晶、オレ様の輝かしい処女作の本が、初版で五万部しか出ていないのだ。そこで「オレをなめとんのか」につながるわけだ。

五万部という数字を聞いても、一般・素人の方には、いまイチ、ピンとこないかもしれないが、これはかなりなめられた数字なのだ。これが朝日新聞社のおっさんたち、おエライさんと言われる人たちの、オレに対する評価なのだ。

当然のことながら、そんなしけた部数はスグに売り切れる。どこの本屋に行ってもない。

オレが「買ってくださいね〜」と言ったところで、ない物は買えるわけがない。そして、おっさんどもはオレに対する認識の甘さに気づき、遅ればせながら増刷しやがった。しかし、そんなもんは焼け石に水。またスグに売り切れ、やっぱりいまどこの本屋に行っても置いてない。いったい、この責任はだれがどう取ってくれるのだろう？

いや、正直なところ多少こうなることは予想がついていた。実際、〝GEISHA GIRLS〟でCDを出したときも同じことがあった。ただ、本が出る前に自分から「この本は売れるから、部数はたくさん出したほうがいいですよ」なんてハズカシすぎて、とても言えない。さすがにそこまで少ないとも思ってなかったし。もう一度書いておこう。五万部である（区民だよりか？）。

そして彼らは、いま「このペースは百万部売れるペースだ」という意見に切り替わっているらしい。遅い！　遅い！　よっぽどのファンでもないかぎり、一度買いに行って置いてなかった場合、またあらためて買いには行かないだろう。オレのあのスバラシイ本は、一人でも多くの人に読んでもらいたかったのに。

世の中のおっさんどもよ、しっかりせえよ。世の中の流れというものを、そのハゲ頭でしっかりと考え、その老眼鏡でしっかりと見極めろ。バ〜カ。

# 大阪は笑いのメッカではない笑いに閉鎖的なのである

今回のテーマは、ズバリ〝大阪人よ、あんまり図に乗るな！〟である。これはべつに大阪を非難しているわけではなく、オレが大阪人だからこそ、大阪を愛しているからこそ言っているのだ。

大阪人としゃべっていると、よくこんな言葉が飛び出してくる。

「大阪は笑いのメッカだ」「大阪人が二人よれば漫才になる」。いかん！　いかん！　非常にマズイ！　オレに言わせれば、君たちの笑いのレベルはそんなに高くない！

「大阪人は笑いに厳しい」

それもチョット違う！　厳しいというより、自分になじみ深い人でしか笑わないのだ。

この前の一万円ライブのときに感じたのだが、東京の客（東京公演だからといって、すべて東京人だとは思わないが）のほうが笑いに対して柔軟さがある。逆に大阪は、《ボケる》↓《ツッコむ》↓《笑う》という固定観念が非常に強く、ツッコミのない笑いはおもしろいと思ってもどこで笑っていいのかよくわからないようだ。

ハッキリ言って、大阪は笑いに対して閉鎖的である。確かに大阪は笑いの番組がたくさんあるし、笑いの基礎のようなものはできていると思うが、応用がきかないのだ。

一日も早く「笑いといえば大阪」というおごりを捨てないと、近い将来、大阪はつまはじきもののお笑い鎖国になってしまう。世の中にはいろんな笑いがあることに気づき、それを受け入れるやわらか頭を持つべきなのだ。

大阪芸人にも図に乗ってる奴が多い。いま日本のお笑いはチョットした大阪ブームらしい。確かに東京ローカルのバラエティー番組を見ていても、大阪弁が氾濫している。大阪芸人はかなり増えた。しかしそれもオレが思うに、あの漫才ブームの人たちや、ダウンタウンががんばって東京に道を作ったからである。《大阪芸人はおもしろい》という認識を定着させたのは、我々の努力である。

それをわかっているのか、いないのか、中途ハンパな大阪芸人が当たり前のような顔して、どんどん東京に流れて来やがる。我々の作った道路を鼻歌まじりで歩いてやがる……。

そのうちバレるだろう。東京の番組に出ている大阪芸人のほとんどは、ショーパブの兄ちゃんやお笑い同好会程度の奴らだということが。今、受け入れられやすい状態だからこそ、慎重に吟味してもらいたい。買い手がいるからといって、不良品ばかり流しているとオレらまで返品されかねない（それはないか）。

もう一度書いておこう。「大阪人よ、あんまり図に乗るな！」。あなた方が思っているほど、大阪は笑いでリードしていない。おもろい奴もいっぱいいるが、おもろない奴はもっといっぱいいる。そして今、大阪芸人が重宝がられているのは、オレをふくむ一部の人たちのがんばりがあったからだけである。

一に東京、二に東京、三、四がなくて五にそろそろ大阪あたりを入れといてやろうか、である。それさえわかっていてくれれば、オレはいつまでも大阪が好きでいられる。

## なるほどザ・ワールドの担当へ
## お前の人生、編集したろか!?

今日は、〝テレビの世界のウソ〟である。こういうテーマになると、必ず出てくるのが〝やらせ〟という言葉。どうも気に食わないのが、この〝やらせ〟というものをまるで悪いことのように思っている奴が多いことだ。

ニュース番組、ドキュメンタリーはさておき、バラエティー番組の場合、この〝やらせ〟というものは、必要不可欠であり、決して悪いことではない。やらせなしでは、お笑い番組は作れないと言ってもよい（いや、ほんと）。

問題はどれだけ視聴者をだまし切れるかということであり、お笑いにおいてウソはばれなければ、真実（笑い）なのである。そのかわり、そのウソがばれたとき、まったく笑えなく、怒りすら覚える結果になってしまう。笑いと怒りは、常に背中合わせであり、ウソをどれだけ真実に見せられるかで決まる。

一時期、あるお笑い番組のやらせ問題でグダグダやっていたが、べつに開き直るわけでもなく、「やらせで何が悪い」である。そしたら何かい、漫才・コントをすべて実話でやって、君ら笑うのか？　と問いたくなる。

お笑い番組において、やらせはばれなければＯＫ。なぜなら、そこには笑いが生まれる。誰もソンをしないのだ。

ところが、バラエティーにも許せないウソがある。オレがこのあいだ出演した「なるほどザ・ワールド秋の祭典」でのことだ。

番組には編集というものがあり、長めに撮った番組を短くつまんだり、いまイチつまらなかった部分をカットしたりするわけである。この操作は、一歩間違えるとおそろしいことになりかねない。

あの番組は五、六時間スタジオに座っていなければならない。その間、隣の人としゃべったりして大笑いすることもあるわけである（番組じたいではあまり笑わないが）。

そのオレの大笑いを誰かのギャグの後につなぎやがったからたまらない。そのテレビを見た人は、「松本はあの程度のギャグで大笑いするのか」と思ってしまう。これはオレにとって大問題である。

どこのどいつの編集かは知らないが、そのボケた編集のために、オレの人格まで変えられてしまうのだ。「ふだんエラそうなことを言ってても、松本もたいしたことないのう」の出来上がりである。

こういうバカな編集は、絶対にやめていただきたい。編集というものは使い方によって何とでもなるわけで、たとえば、ハードな下ネタの後にアイドル歌手の笑い顔を差しこむことにより、このアイドルはなんとやらしい女だ！ということになるわけである。また頭の良い人をアホにすることもできるし、誠実な人を根性の悪い奴に変えることもできる。

我々タレントは、その番組をその場で楽しくしようとガンバル。しかし、我々のできることはそこまでであり、そっから先はスタッフの編集にかかっている。

ウソをやるならみんなが得をするウソをやれ！　タレントを不快にするウソはやめてくれ。今度そんなことをしやがったら、オレがお前の人生を編集してやるぞ、コノヤロー！

# さて、今回のテーマは「オレの好き・嫌い論」である

「オレは野球が嫌いだ！」

ずっとそう言ってきたが、最近、気づいたことがある。考えてみるに、野球というスポーツはそれなりにおもしろい。テレビでしょうもない番組を見るくらいなら、野球を見てるほうがいいような気もする。とくに嫌いな選手がいるわけでもない。

では、なぜオレは野球が嫌いだと思ってしまったのだろう？　そう、オレが嫌いなのは野球ではなく、あの必要以上に熱狂するファンなのだ。

結局、ヤツらは学校や仕事先でがんばれてなかったり、勝ててなかったりするヤツらの集まりで、それをひいきチームに託し、そのチームががんばれば自分もがんばった気になるし、勝てば、まるで自分が勝ったような気になるのだ。オレのように、毎日戦っている人間なら、人を応援する余裕なんてあるわけがない。結局、そいつらへのあてつけとして、「オレは野球が嫌いだ！」になってしまうのである。

遅ればせながら、今回のテーマは、〝おれの好き・嫌い論〟である。たとえばオレの周りにオレのことが「嫌いだ」と言うヤツがいる。そいつはただ単に自発的にオレのことを嫌っていると思っているだろうが、実は、そうではなく、オレがそいつに好かれようとしていないのである。

オレが思うに、人に好かれようとすることはそんなに難しいことではない。問題はオレがそいつに好かれたいと思っているかどうかである。オレがその努力をするだけの価値がそいつにあるかどうかなのだ（わかる?）。

逆に、オレのことが「好き」だと言うヤツがいる。好きと言われて嫌な気がするヤツなどいない。もちろん、オレとて同じである。ただ、オレの場合、人とちょっと違うのは、単純に好かれていることがうれしいのではなく、オレという人間（才能）を理解できる頭の良さがうれしいのだ。

オレにとって好きなヤツ《頭の良い奴》、嫌いなヤツ《頭の悪い奴》なのだ。オレのファンは頭が良いから好きだ。オレのファンじゃないヤツは頭が悪いから嫌いだ。

もちろん、オレが好きになる女は頭の良い女だ。ワイドショーなんかを見ていると、年間たくさんの芸能人カップルが誕生している。この芸能人カップル、男のほうはまだいいとして、女のほうは、それこそ何度も何度も真剣に考えて、男選びをしなければいけない。なぜなら、女は、選ぶ男でオツムの具合がわかってしまう。

もしオレがその女にそこそこ好感を持っていたとしても、選んだ男がルックスだけの薄っぺらなヤツだったりしたらいっきに嫌いになってしまう（もちろん、嫉妬などという次元のものではない）。車選びと同じで、こんなにたくさんの種類の中から、またよりにもよって、〇〇を選ぶかなぁ〜、というあきれた絶望である。

要するに、オレが嫌いだと言うヤツは頭が悪い。オレは頭の悪いヤツが嫌いだ。オレを嫌いなヤツはオレも嫌いなヤツで、オレに好きにならしてもらえないヤツなのだ。

# オレがマザコンかどうかより とにかく母親との絆について

オレは、テレビでよく母親のことを口にする。そのせいか、まわりからマザコンではないか？　と思われがちである。実際のところ、オレ自身、マザコンというものが具体的にどういうものなのかよくわからないので、否定すべきなのか、困ってしまう。ただ、母親に対する気持ちが強いことがマザコンというのなら、オレはマザコンなのだろう。

とはいっても、ほとんど実家に帰らないし、電話も、用事がないかぎりかけない。会うことといえば、番組がらみでいっしょに漫才をするときぐらいだ（どんな関係やっ！）。しかし、今や総入れ歯に近くなってしまったババアが好きだ。たまに家に帰ったオレに、生たまごを持ってかえれと言って、オレの車を走って追いかけてくる。歯のないババアは、妖怪のようだが好きなのだ。

どこの母親でも、子に対する愛情は強いだろうが、うちのババアは、なんというかパワーが違うのだ。あれは、オレが小学校の三年生ぐらいのときだったと思う。オレは、学校というものが嫌いで嫌いでしょうがなかった。不思議なことに、夜になると右足の太モモあたりが熱を持ち、ハレ上がり、痛くて痛くて眠れなかった。

今にして思うと、学校嫌いの子供によくありがちな、登校拒否からくる神経的なものであったのだろう。半年ほど、ほとんど学校に行かない日が続いた。病院に行って血液検査やレントゲンを撮っても、原因がまったくわからず、またほかの病院に行くということの繰り返しであった。

オレの家は、この連載でも何回も言っているとおり、かなりの貧乏だった。普段の生活でも苦しいのに、毎日のように病院通いというのは、かなり、それはもう、かなりきつかっただろう。といって診察費を節約するわけにもいかない。とすれば、普通、交通費の節約を考えるのだが、足が痛いと言っている子供を歩かせるわけにもいかない。

そこで、うちのババアが考えたのが、乳母車である。どこで借りてきたのか、拾ってきたのかわからないが、ボロボロの乳母車にオレを乗せて、病院めぐりをすることになった。

小学校三年生といっても、体はそこそこ大きい。その子供を乳母車に乗せて押している母親は、道行く人には、かなりのインパクトだっただろう。ハタから見れば、ちょっとした乞食親子に映っただろう。うちのババアときたら、そんなことはいっさいおかまいなし、淡々とオンボロ乳母車を押し続けていた。まさに、〝母は強し〟というところだろう。

オレとババアの間には、言葉にはできない絆のようなものがあるように思える。普段、テレビで母親のことを口にするのもそのせいなのかもしれない。

きっと、それはマザコンなどという次元のものではないだろう。オレは、ただ単純に、ババアが今よりももっとボロボロになったとき、今度はオレが代わりに、その乳母車を押してやろうと思っているだけである。

## あらゆる職業に使命があるが、警官の使命だけは謎だ

たとえば、医者は人の命を助けるという使命があり、消防士には火事を消すという使命

がある。世の中の職業すべてに、目的と使命がある、とオレは信じたい。当然、お笑いタレントという職業も例外でない。

その中で、どうしても理解できない謎だらけの職業がある。その名も、警察官（交通課）である。一体、彼らの使命・目的は何なのだろう？　彼らの取る行動は、まったくもって不思議である。

この前も高速の下り口で、検問なるものをやっていた。何でもシートベルトをちゃんと着けているかどうかを見張っているらしい。オレはしていなかったので、当然止められたわけである。

その若い警察官は、高速道路は死亡事故になりやすいので、シートベルトは必ず着用すべきだ、と力説している。なるほど、それは確かに言える。うん？　待てよ、何で下り口やねん！　高速を下りるオレよりも、今から高速に乗る人たちにそれを言ってあげればいいのに、不思議だ。不思議でならない。それは、学生時代、朝礼で「集まるのが遅い」と、集まっている生徒に怒っている先生と同じくらい不思議だ。

そして、その警察官はさらにこんな不思議なことを口にした。「今月は交通安全月間なので、いろんな所で検問をやっているから、気をつけたほうがいいよ」

どういう意味なのだ。交通事故から命を守るためのシートベルトじゃないのか？　検問をやっているから気をつけたほうがいいのか？　いまだに彼の言っている意味がわからない。不思議だ。不思議でならない。

オレの知り合いの話なのだが、その日、彼は少しお酒を飲んで車を運転していた（それは危険だ）。彼は警察の飲酒検問で止められた（これで安心）。少々だが、酒を飲んでいることがわかり、キップを切られた。そして、その警官は彼に言った。「気をつけて帰るように」

不思議だ、不思議でならない。一体、止められる前と後で、彼がどう変わったというのだろうか？　そうか、もしかしたら、その警官から渡された青い紙にはアルコールを分解する作用があるのかもしれない。そうだ。きっとそうに違いない。

駐禁というヤツがまた不思議で、最近は、車止めなるものを使って、駐車違反の車を動けなくするらしい。ジャマになる車を動けなくするのか？　不思議である。

レッカー移動にしてもそうで、あの作業をしているレッカー車がいちばんジャマなような気がする。何十台とつらなる車の一台や二台をのけたところで、その空いたスペースが一体何になるのだろうか？　不思議だ（雨の日は、あまりしないのも不思議だ）。

そして何よりも不思議なのが、オレもふくめ、まわりの人たちから「運が悪かった」という言葉は聞こえてきても、「悪いことをした」という言葉がいっさい聞こえてこないこと。そして、正義の味方（たぶん）である彼らが、妙にえらっそうで、目つきが悪いことが、最大のミステリーである。

# オレは直木賞もノーベル賞もいらない男だ。覚えとけ！

先日（九四年十一月十五日）、オレの処女作『遺書』の出版記念パーティーが行われた。このオレのために、たくさんの人が足を運んでくださったことに、心よりお礼申し上げます。

ただ、オレという奴は、こんな仕事（タレント）をしているくせに、たくさんの人が集まる場所というのはどうも苦手である。ましてや、今回は迎える側にまわってしまったために、どうも身の置き場に困ってしまう。何がつらいといって、あのあったかい人のぬくもりというものが、オレをまいらせる。もともとオレなんて、周りからムシケラ同然の扱いをうけて、それへの反骨心というか、復讐心がパワーの源だったのだ。

それをあんなにみんなからチヤホヤされてしまうと、顔がヘンになってしまう（なんじゃそりゃ）。これはオレの持論なのだが、〝人は、周囲から冷たくされればされるほど、その冷たさに耐えきれず、自ら熱くなれるものである〟（オレが死んだとき、「知ってる

つもり!?」のエンディングでぜひ流してほしい)。どうか、オレの周りの人たちよ、あまりオレを持ち上げすぎないように注意せよ。

そのパーティーの帰り、車を運転しながらふと思ったのだが、いままでダウンタウンというコンビでずっとやってきて(まぁ、これからもやっていくわけだが)、ここにきて、初めて松本人志個人の力でよい評価を受けたことは、いままでとは少し色合いの違う喜びである。

それはそれとして、一難去ってまた一難と言えば、少し言葉が悪いが、一つの仕事をやり終えると、また次の仕事の話が舞い込んでくる。

そのパーティーの席で、担当からこんな話があった。

「今度はひとつ、直木賞を取りましょう」

この際、書き下ろしをやりませんか? 書き下ろしをやるかやらないかはさておき、この「直木賞を取りましょう」という言葉に、少し吠えさしていただいて、今回は締めさせてもらう。

どうもオレは、この〝直木賞〟〝芥川賞〟、はたまた〝ノーベル賞〟というものに疑問を感じる。このあいだも、だれかが〝ノーベル文学賞〟なるものを取って大騒ぎしていたが、それがなんなのだ。

ハッキリ言って、オレはそんなものはまったく欲しいと思わない。オレがもしその立場に立たされたら、一〇〇パーセント断るだろう。なぜなら、そのノーベルという奴は、そんなにえらいのか？　オレはノーベルより下か？　なぜこのオレ様が、ノーベルから〝ほうび〟をもらわなければならないのだ（だれもくれるとは言うとらんがな）。

オレがどんなにがんばっても、オレからノーベルに〝ほうび〟をやることはできんのか？（まぁやらんけどね）。そんなナンバー2のような賞をもらって大喜びするほど、オレはアマちゃんではない。

もしオレがこの先、小説を書くようなことがあったにせよ、その手の賞を狙ったものではないということをよく覚えておきなさい。

オレが、君たちが思っている五倍から十倍、デッカイ男だということを、どうか忘れないでいただきたい。

## 後に続く者たちよ荒野でダウンタウン様を追え

オレのやっている「発明将軍ダウンタウン」という番組で、発明の専門家の人が言っていたのだが、ある意味、もう新しい発明というのはないのだそうだ。

たとえば、あの番組で好評を得た〝電球取り替え棒〟というのがある。棒の先に吸盤が付いており、高い所の電球を台を使わずに替えられるという発明品。これにしても、もともと吸盤を発明した人がいるわけであり、その発明を利用した発明なのである。

そう考えてみると、すべてやりつくされた現在において、まったくゼロからの発明というのはもうないのだ。

菓子なんかにしてもそうである。結局、チョコレート、ガム、アメ、グミなど、決まり物があり、ガムをアメで包んでみたり、チョコで包んでみたりという合わせ技しかないのだ。

そういう意味では、本当の新製品というのは、今となってはあり得ないのである。

では、お笑いの世界はどうだろうか。確かに過去の人たちにすべてやりつくされたというきらいは否めない。テレビのバラエティー番組で、何か新しいことをやろうとしても、必ず過去の何かに似てきてしまう。

たとえば、スタジオで大がかりなセットを使ってゲームをやったなら、すぐに「ひょうきん族から進歩してない」とか、「抜け出せてない」とか言われてしまう。

それに対して、オレは言いようのない怒りと哀しみが込み上げてくる。なぜ、大まかな部分でしかものを見てくれないのだろうか。広い意味では似ていても、それはあくまでも構造上の話である。部分的には、新しいアレンジを間違いなく加えているのだ。

何もかもやりつくされたこのご時世で、新しいものを作るのは大変な作業である。遅れてきた世代の、それが宿命だと言われればそれまでだが。

オレがこの世界に入ったとき、まさに漫才ブームの終わった後で、草木一本生えない焼け野原で、「今さら、何で漫才なんやねん」という客の目をこっちに向けさせるのは、至難の業であった。

お笑いのパターンは、すべてとは言わないが、ほとんど出つくしたと言っていいだろう。オレも含め、若いお笑いの人たちは、それを認めたうえでがんばるしかないのだ。過去の人たちが作ったパターンを利用して、自分たちの新しいアレンジを駆使してやっていけばいいのだ。

そして、見る側の人たちも、雰囲気だけで、よく見もしないで「進歩してない」とか「抜け出してない」とか言わないでほしい（まぁ、そう言わざるをえん若いもんもいっぱいおるけど）。

そしてさらに付け加えるならば、唯一、残された笑いのパターンは、数年後にはこのダウンタウン様が食いつくしてしまうだろう。そして、草木一本生えない状態で、次の世代へとバトンタッチする。少しかわいそうな気もするが、仕方がないだろう。それが遅れてきた世代の宿命なのだから。

# 素直なだけの世間の奴はたとえば踏切問題を疑え！

「何を考えているのかわからない」「頭の中を一度開いて見てみたい」

今まで、これらの言葉を他人から、それこそ何百回と言われてきた。どうもまわりの人たちから見れば、オレはかなりの変人らしい。

このあいだも、和田アキ子さんに夜中に電話で呼ばれて、延々と「お前は○○ガ○やから……」と言われ続けた（もちろん、オレにとって、最高のほめ言葉である）。

だいたい、オレは、子供のころからそうなのだが、ものを裏側から見るクセがついている。それは、ワザとやっているわけでもなく、そういう構造に頭の中ができているらしい。たとえば、たまにデッカイ丸太を積んだトレーラーを見かける。あれが、もしただのドライブだったとしたら……。一人でそんなことを考えて、ニヤニヤしてしまう。

そんなことを考えるオレはおかしいのか？　いや、オレがおかしいというよりも、世間のヤツらが、見たもの聞いたものをあまりにも素直に受け入れすぎているのではないだろうか。そこで、今回のテーマは〝もっといろんなことに疑問を持て！〟である。

アフリカでは、何百万人もの子供たちが飢えで死んでいる。そんなことをよく耳にする。世間では、「かわいそう」「かわいそう」と涙する。「われわれに何かできることはないのか」と叫んでいる。はたして、そんなにかわいそうなのだろうか？

彼らに非はないのだろうか？　と、疑問を持とう。なぜ、彼らは食べる物もないのに、子供をつくるのだろう？

なぜ、彼らは避妊をしないのだろうか？

ハイ、セックスしました。ホラ、子供ができました。アラ、食べる物がありません。ネエ、なんとかしてちょうだい。では筋が通ってないのではないか？　そのへんのところをクリアにしてもらわないと、少なくともオレは、皆さんのように、かわいそうとは思わないし、思えない。

そして、ああいう現場に行って、ああいうガリガリにやせた子供を抱きかかえ、涙するタレントが、何億、何十億という豪邸に住んでいたりすることも疑問に思おう。

あと、踏切事故をなくそうと、テレビのＣＭでも毎日のようにやっている。確かに、踏切事故はないほうがいいと思う。ただ、なぜ、その予防策が、踏切での一旦停止なのだろうか？　と疑問を持とう。遮断機のない、田舎の踏切ならともかく、電車が近づいてきたら、遮断機が下りることになっているのに、なぜ、一旦停止なのか。まったくわからない。

遮断機が故障することもありうる？　いやいや、故障しないようにガンバレ！　そのために、こっちは高い税金払っとるやろ！

ハッキリ言ってやろう。オレは、踏切での一旦停止はしない。でも、絶対に事故は起こさない。なぜなら、オレには、電車が近づいてきたことを聞き取る耳があるからだ。

さぁ、どうだ。オレは間違ったことを言っているか？　オレは、そんなに変人か？

## もう一度、辰吉の試合が見たい　辰吉が友達だから

拝啓、辰吉丈一郎《たつよしじょういちろう》様。

その後、いかがお過ごしでしょうか？　オレと言えば、相も変わらず、人を笑わすことに追われる毎日です。ふだん、電話でしゃべっていても、直接しゃべっていても、なかなか思っていることを言葉にできず、その苛立たしさからペンをとったしだいです。

思い返すに、初めて君に会ったのは、「ダウンタウンDX」という番組だったと思います。オレは、昔から君のファンで、前の日から緊張でドキドキしていたのを思い出します。

その後、オレの携帯電話に、ことあるごとに電話してきてくれるのがうれしくて、「芸能人で本当によかったなぁ」などと思っています。

もう、こうなったら、君が望もうが望むまいが関係なく、友達です。少々強引ではありますが、友達になってもらいます。殴ってでも、そうさします。

そうなると、名古屋でのあの試合は、当然見に行かずにはいれませんでした。あの日、オレは朝から、まるで自分がリングに立つかのように、緊張で心臓がバクバクしていました。12ラウンドの間、それは一度も休まることがありませんでした。残念ながらああいう結果になってしまいましたが……。

試合が終わった約二時間後、君はわざわざまたオレに電話をかけてくれましたね。電話口で、君は「すいません」と一言。いちばんつらいのは自分なのに、人に謝れる君は本当に強い男だと思います。「部屋に来ませんか?」と、もしかしたら、ただの社交辞令だったのかもしれませんが、その言葉に、あえて甘えさしていただきました。

とは言っても、オレは部屋を訪れる前、正直、悩みました。オレがいま、君に言えることはあるのだろうか? はたして、オレが言ったところで役に立つのだろうか?

「いい試合やったね」「感動したよ」。君は、そんな言葉を望む男でないことを、オレは知っていたし、勝たなければ意味のない男だということをわかってもいたし……。

ドアを開けると、そこに戦いぬいた君が座っていた。君は傷だらけで、「ボクサーってカッコエエよなぁ〜」などと、いままで軽々しく言っていた自分が恥ずかしく思えました。どうしても明るくできないオレを前に、努めて明るく振る舞う君にやさしさを感じ、「明日から暴走族に戻ろうかな」のギャグに笑った。

人は一生のうち、何人くらい尊敬できる人間と出会うだろう? オレのように自分が最高だと思っている人間にとって、なかなかそんな人間にめぐりあえることはない。ましてや、三十一歳の自分より年下で尊敬に値する男となると……。オレは貴重な男に出会ったような気がする。

もしかしたら、こんなことは言ってはいけないのかもしれない。君の体のことを思うなら、言うべきことじゃないのかもしれないが、オレはあえて言いたい。

もう一度、辰吉丈一郎の試合が見たい。辰吉丈一郎が人をどつきまわしてる姿が見たい。それは何より本人が望んでいることだし、オレは君の友達だから。

敬具

# 君たちはイジメについて全然わかっていないのだよ

やっぱり来た！　オレの番組で、〝新ドッキリカメラ〟と銘打って、後輩の顔に、二度三度にわたって八宝菜をかけたことへの抗議電話が、である。

今回は「食べ物を粗末にするな！」というのではなく、「あれはイジメだ！」という、まさにいま世間で持ち切りのテーマでの抗議であった。まったく世間では、バカな奴が後を絶たない。いちいちそのことについて書くのもアホらしいのだが、仕方がない、書いといてあげよう。

いいかね？　よく聞きなさい。ああいう目にあうことで、彼がどれだけ喜んでいるか君たちはわからないのか？　彼だけじゃない。彼の嫁、そして子供がテレビの前で大笑いし、「お父さん、おもしろい！」と絶賛しているのだ！　この世界でいうところの、彼はメチャクチャおいしいのだ。君たちのその抗議は、彼のおいしいものを奪い取ろうとする行為なのだぞ！

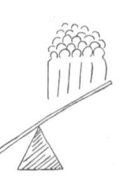

よく覚えておきなさい。彼も含め、私たちコメディアンは、もちろんそればかりではないが、ああいう目にあうことで、電気・ガス・水道代を払っているのだ。

わかったか！　あれは、私たちの仕事の一環なのだ。やるほうも、やられるほうも、互いに信頼しあって成り立っているのだ。それを〝イジメ〟などと一緒にされるとは、こっちからお前らに抗議電話をしたいくらいだ！

まったく君たちは、イジメというものを全然わかってないようだ。ワイドショーなんかを見ていても、バカみたいなコメントばかりでなさけない。あんまり、こういう社会的なことは、オレも書きたくないのだが、今回は特別に、あの事件についてオレの意見を書いてあげるから、まぁ読みなさい。

まず、イジメているほうに、イジメているという意識があるか、イジメられているほうにイジメられているという意識があるかの問題である。

たとえハタから見て、それが悲惨な状況であったとしても、本人たちにその意識がなければイジメではないのだ。本人が、自分はいまイジメられていると自覚し、だれかに助けを求めなければ、イジメなんてこの世から絶対なくならない。たとえ教師が注意をしたところで、「ジャレ合ってます」と言われればそれまでである。

それなのに、そういうことがあると必ず、「学校が悪い」と言いだす。「なぜ先生は気づかなかったのだ！」と、自分の息子がファミコンを売っていたことに気づかなかった親が責める。オレは、それを見てるとつらくなってくる。学校側が皆にイジメられているようにさえ見えてくる。

話をもとに戻そう。

百歩譲って、オレの番組が子供に悪影響だったとしよう。でも、それなら親であるあなた方が、「マネしてはいけませんよ」と言えばいい。たかだか一時間の番組の、ほんの数分間の一コーナーの影響力に、あなたたち、親の影響力は劣っているのか？

あのような抗議電話をしてくるということは、自分たち、親の言葉より、ダウンタウンのほうが重いのではないかという自信のなさのあらわれではないのか。おう？

## 今年のオレは時間を守る 文句のつけようがないはずだ！

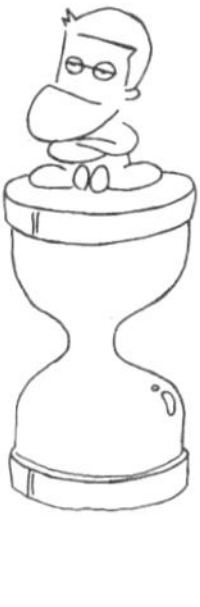

九四年は、我ながら、本当によく頑張った。

ニューヨークでレコーディングをし、〝芸者ガールズ〟デビューを飾り、前人未到の一万円ライブを大成功させ、これまた、誰も成し得たことがない、芸人殺しの二十四時間トークをやってのけ、この連載をまとめた本まで出した。もちろん、五本のレギュラーの合間をぬっての作業である。

九四年一年、頑張ったのは誰？　年間二百本安打を達成したイチロー、単身イタリアへ乗り込んだカズ、二場所連続全勝優勝で横綱になった貴乃花《たかのはな》。何をぬかしとんねん、オレに決まっとるやろ！　まぁ、去年にかぎらず、毎年オレやけどね。

世間のヤツらは、頑張ったか、頑張ってないかを数字や視覚でしか判断できないようである（気の毒なオツムね）。ただ少し、オレはオレで頑張りすぎたかなぁとも思っている。

何より、本が売れすぎた。最初から予想していたことであったが、あの手の本が売れれば売れるほど、ちょっとした松本バッシングが始まる（本当に君たちの動きはわかりやすい）。

「生意気」「わがまま」「傲慢」……。

ハッキリ言っておこう。オレは臆病者である。自分の番組が「つまらない」と言われることがこわい。考えただけで体が震える。

オレは、笑いに対して誰よりも自信を持っているが、その難しさも、誰より知っている。だから、何から何まですべて自分でやろうとする。人まかせにすることを拒んでしまう。それが周りにそういう印象をあたえるのだとすれば、もう仕方がない（少なくとも、オレの耳に入って来たことはないが）。

ただ、そのオレのやり方が間違っていなかったことは、今のダウンタウンを見ればわかっていただけると思う。

次に、「松本は時間にルーズだ」という意見。確かにオレは、一時間、二時間遅れることはそうめずらしくない。そのことについての説明をしよう（言いわけじゃないぞ）。

その日の仕事が終わっても、次の仕事の打ち合わせがオレを待っている。頭脳労働をしている人にはわかってもらえると思うが、神経を集中し、頭をフル回転させた人間が、たとえ明け方に帰ったところですぐに寝れるわけがない。体はいくら疲れていても、頭は寝ることを拒否する（せめて酒でも飲めればいいのだが）。寝るころにはもう陽がのぼっている。

考えてみてくれ、明け方まで打ち合わせをしていた人間が、その数時間後、時間通りきっちり入って仕事をバリバリ、その日の夜も打ち合わせ（死んでしまふわ）。

この世界、時間通りにちゃんと入っても、オレの十分の一も仕事ができないヤツは腐るほどいる。たとえ一時間二時間遅れたところで、オレほど仕事ができるヤツはいない。どっちを取るか選んでくれ……。

というのは九四年までのオレである。今年のオレの抱負は、「時間厳守」である。

それは何も、守りに入ったわけでも、松本バッシングがこわいわけでもない。芸人として完璧なオレが、人間として完璧になったとき、いったい、お前たちはオレのどこに文句をつけるのか楽しみなだけである。

## 視聴率さえよければOK!?泣けてくるぜ、ベイビー!!

年末年始の特番シーズンもやっと終わった。

今回も、各局、あの手この手で視聴率バトルを繰り広げ、どこの局が勝った、負けた！どうしたこうしたの大騒ぎであった（もちろん、オレもその中の一人であることには違いないのだが）。

さて今回は、この視聴率についての考察である。

まず、皆さんにお聞きしたいことがあります。わりと好きな番組と、メチャクチャ好きな番組が、まったく同じ時間にかさなってしまったとき、あなたならどうするのでしょうか？

もちろん、それはその番組のジャンルにもよるのでしょうが、普通、わりと好きな番組をリアルタイムで見て、メチャクチャ好きな番組は、ビデオに録画しておいて、後のお楽

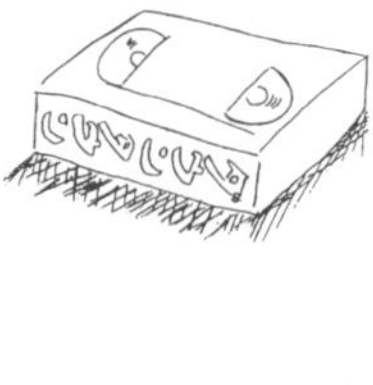

しみということになるであろう。

ビデオというものは好きな番組を一度録画しておけば、好きなとき、好きなだけ、何度となく見ることができるという、まったく便利なすぐれモノである。

ただ、この便利なビデオが、オレなんかにとっては、ヒジョーに邪魔な存在だったりする。なぜなら、視聴率というものは、リアルタイムで見て、初めてカウントされるものであり、いくら、たくさんの人が、ビデオに録画したところで、いっさい数字には表れないのだ。ここに、大きな矛盾が生まれるのである。

オレのように、おもしろい番組を作ろう、完成度の高い番組を作ろうとすればするほど、それができればできるほど、視聴者はビデオに録画して残そうとする。何度も見ようと、後のお楽しみにしようとするのだ。

ここで、声を大にして叫んでおこう。おもしろい番組（完成度の高い番組）と視聴率は、必ずしも正比例しているとはかぎらない！

多くのクイズ番組の視聴率が高いのは、単純に、あの手の番組がビデオに録《と》って見るほどの代物ではないからだ！　時代劇の視聴率が高いのは、ジジイ、ババアがビデオの録画予約のやり方を知らないからだ！

どうだ！　違うか!?

だいたい、視聴率さえよければ、それでオールOKの考え方がオレは気に食わない。

それより、問題は質ではないのか？（オレはけっしてきれいごとを言っているわけではないぞ）

あんまり出来の良くなかった番組が、思いのほか高視聴率だったら少しは落ち込めよ！たくさんの人に、それを見られたことを恥ずかしがれよ！（もっとも、その番組がたいしておもしろくなかったことすら、気づいていないのだろうが）

特別おもしろいというわけでもないが、妙にキャスティングが豪華だったり、なんとなくチャンネルをかえるタイミングがなく、気がつけば最後まで見てしまっていた、などという番組だけはやりたくない。

オレは、誰が何と言おうと、番組は完成度を重視するぞ！視聴率なんて、一五パーセントもあれば十分だ。それより、後々「あの番組はおもしろかったなぁ」と言われる番組を一本でも多く作っていくぞ！

大の男が、一パーセントで泣いたり、はしゃいだりするなんて、あまりにも哀しすぎるぜ、ベイビー。

# オレは真剣に怒ろうと思う真剣に仕事をしているから

少し古い話になってしまうのだが、ある新聞に〝ダウンタウン解散！〟という記事が大きな見出しで載った。もちろんそんな事実は全くないし、どこかのバカの思いつきで書かれたクサレガセネタである。

たとえば、来年、再来年、はたまたその次の年、ダウンタウンが解散していなかったとき、あの記事を書いたヤツは、

「間違いでした。すいません」

とオレたちに謝ってくれるのだろうか？　一〇〇パーセントそんなことはないだろう。書いたら書きっぱなし、責任感のかけらもない人種である。また、あんな作り話で、少なからずもダウンタウンファンを困惑させたことへの罪の意識も全くない、困った人たちである。しかも、本当に解散すると思って書いているのならまだしも、そんな事実はないことをわかったうえで記事にしているだけに、たちが悪い。

まあ、あの記事に限らず、いままでも、事実無根のことや、間違った批評、プライドを傷つけられることをいっぱい書き立てられてきた。そしてこれからも芸能人をやっている以上、まだまだ続くのであろう。

これはもう宿命というものなのかもしれない。

ただそんなとき、オレはタレントとしてどう動くべきかという岐路に立たされる。怒るべきか、無視するべきか、である。

その答えを出す前に、あの長渕剛《ながぶちつよし》と桑田佳祐《くわたけいすけ》の事件について、少しオレの意見を書いておきたい。

この連載が出るころには、現状は変わっているかもしれないが、芸能ニュースやオレの周りではいまのところ、長渕剛が大人げないというふうになっているようである。

大人げないとか、子供っぽいという言葉の中には、半人前という、けっしてほめ言葉ではない意味が含まれているような気がする。さて長渕剛は、はたしてそうなのだろうか？

オレはそうは思わない。はっきり言って、オレはあの事件に関して言えば長渕剛派なのである。と言っても、誤解しないでほしい。なにも桑田佳祐が悪いと言っているわけじゃないし、オレは長渕剛の信者でもない。

自分が傷つけられたと感じたとき、怒ることが悪いことなのだろうか。言いたいヤツには言わしとけ、と片づけることがそんなに大人なのだろうか。無視することはいわば、いちばん楽な方法である。その逆に怒ることはすごくパワーのいることだし、もしかしたらもっと状況を悪くしてしまう可能性も高い。

オレが思うに、自分というものをしっかりと持っており、仕事に対して真剣に取り組んでいる人間は、自分を傷つけられたと感じたとき、真剣に怒ることができるのだ。後先も考えずケンカをしてしまうこともあるだろう。

答えは出たようだ。〝ダウンタウン解散〟ぐらいのバカバカしすぎる記事にはいちいち怒ってられないが、このさき自分のプライドや、大切にしているものを傷つけられたとき、オレはやっぱり怒ろう。

大人げなかろうが、子供っぽかろうが関係ない。仕事を真剣にやっているぶん、真剣に怒ろう。それでたとえ悪い結果を招こうが、逃げずにケンカをしよう。それも、オレの仕事の一環なのだ。

# 尼崎のババアの無事にホッ オレも普通の好青年だった

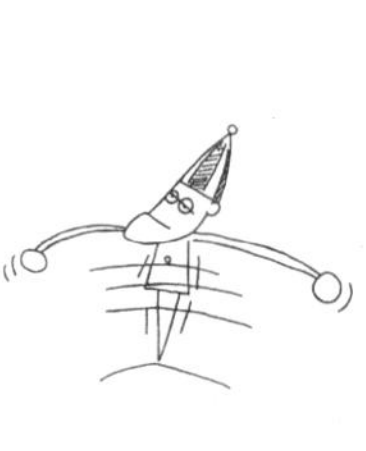

いやあ、びっくりこいた。何がびっくりしたかって、例の大地震である。今回はやっぱり、このことについて書かないわけにはいかないだろう。

十七日（九五年一月）の昼ごろ目が覚めて、何げなくテレビをつけてみると、見覚えのある建物が、数年前、毎日のように通った高速道路が、いろんな女とデートした公園が、ぐちゃぐちゃになっているのだ。

血の気が引くというのは、まさにあのことだろう。冗談でもなんでもなく、オレは戦争が始まったと思った。そして、それが地震だとわかったとき、次の不安は、こんな人でなしのオレでも、尼崎にいる両親の生存である。

当然のことながら、実家に電話をかける。何度かけてもまったくつながらない。もしも無事なら、向こうから連絡があってもよさそうなものなのに、まったくかかってこない。いよいよまずいと思ったその瞬間、やっと電話がつながった。

「もしもし」

すっとんきょうなババアの声、その後ろで、聞き覚えのあるオッサンの声もする。まずはひと安心である。オレも、何のことはない普通の親思いの好青年だったのだ（後で気がついたことなのだが、向こうから電話がかかってこないのも当然で、うちの電話番号を教えていなかったのである）。

物は倒れてくるわ、壊れるわで、それなりの被害はあったようだし、あの日からいまだに（二十二日現在）ババアは風呂にも入ってないらしい（まあ誰に抱かれるわけでもないし、かめへんかめへん）。それにしても、予想不可能の出来事であった。

こういうことがあるといつも言われるのが、政府の対応が遅いという意見。それは、当然オレも同感なのだが、もうひとつ納得がいかないのが、あの高速道路である。

あんなヤワなもんに税金をいっぱい払わされ、あんなヤワなもんに五百円も六百円も払って乗っていたかと思うと、こわいやらむなくそ悪いやらである。そしてあれを直すのも、我々のカネなのである。

カネで言えば、いろんなタレントやスポーツ選手たちが寄付しているのをニュースでやっていた。なぜたくさんの新聞記者やテレビカメラの前で、おカネや食べ物を渡すのだろう。不思議でならない。オレには性格上、絶対にできない行為である。

どっかのおっちゃんが大金を置いて、名前も言わず去っていったという話を聞いたが、オレももし寄付するなら、その方法をとる。誰にも気づかれないように、陰でそっとやりたいものだ。寄付しているところをカメラで映されようものなら、顔がまっかっかになってしまう（オレは異常なのだろうか）。

まあ、とにもかくにも今度の地震で莫大なカネがかかるのは事実である（なんでも十兆円もの損害らしい）。ただカネはないとは言わせない。税金の無駄遣いをやめればいいのだ。

日本全国でやられている、あの意味不明な道路工事をやめろ。何にもないのに掘るな。そのカネで神戸を立て直せるはずだ。

そして、それでもどうしてもカネが足りないというのなら、いつでもオレが寄付するつもりだ。ただし、陰でそっとネ。

## 人は誰のためにでもなく自分のためにがんばるものだ

貴乃花《たかのはな》が武蔵丸《むさしまる》との優勝決定戦を制し、十二年ぶり史上七人目の新横綱Vを飾った。

いや〜、すばらしい。ちょっとやそっとの努力でできるものではない。これは大いにほめてやるべきである。

しかも、彼はまだ二十二歳である。オレなんかよりもずっと年下であれだけのことをやってしまうのだから「すごい」の一言に尽きる。オレが二十二歳のころは、まだヒヨッコで、女のケツを追い回し（今もそうですけど）、仕事もロクにせず（まあーやりたくてもなかったのだが）、親のスネをかじることしか考えないクソガキだった。

それに比べて貴乃花という男は……。

君こそ最高だ、君こそ横綱のなかの横綱だとまあ、持ち上げるのはこのへんにして、そろそろ本題に入ろう。

オレが貴乃花はすごいと思ったのは、武蔵丸を破って優勝したところまでである。そのあとがいかん。次の日の新聞にはこんな見出しが出たのである。

〝兵庫県南部地震の被災者にささげる優勝だ〟

なんだそれ。すもうと地震、いったいなんの関係があるのだ。何がどうなって、そういう方向へ行ってしまうのだ。わからん。地元出身の一人として言わしてもらうと、貴乃花のファンならともかく、貴乃花が優勝したからといって、あの地震の被災者には何の変化もないぞ。被災者たちが一生懸命、復興のためにがんばっているのは自分たちのためにがんばっているわけで、貴乃花に勇気づけられて、というわけではないぞ。

まあ貴乃花に限らず、大きな災害があったときなど、特にスポーツ紙にはきまってこういう勘違いした見出しが出てくる。

「○○の人たちに勇気を与えるためにがんばります」

君たちはいったい何様だ。オレはふだんからこの連載で、よくお笑いタレントが一番偉いとか、オレは天才だとうたっている。もちろんそれは本心だし、間違っていないという自信もある。ただ、お笑いで人に勇気を与えたり、人の命を救ったりできるなんて考えたこともない。いや、たまにそういったファンレターをもらうこともある。でもそれは、その人がオレの番組を見てそう感じてくれているわけで、オレがそう仕向けたわけじゃない。オレは誰のためにでもなく、自分のためにやっているのだ。

貴乃花よ、君は君のためにがんばって優勝したのだろう。すもうをとっているとき、被災者のことなど頭になかっただろう（じゃないと勝てない）。優勝したことはすばらしい。それでいいではないか。

そう言えば、ある野球選手が病気と闘っているファンのためにホームランをプレゼントしたという話があったが、ああいうのも、オレは、どうかと思う。オレに言わせればそんなもん、ぜんぜん美談じゃない。打たれたピッチャーにも病気のファンはきっといたはずだから。

そして貴乃花のあの優勝が、被災地の人たちにほんとうに勇気を与えたと思っている人がいるのなら言ってやるが、あの地震の被災者の中にも、武蔵丸のファンはいたはずだ。

P・S　なぜああいう大きな災害があったとき、スポーツ選手ががんばれば勇気づけられるなどと言われ、オレたちコメディアンががんばれば不謹慎と言われてしまうのだろうか。

## 今田、東野といるときオレは、お笑い筋肉が鍛えられている

最近の若いお笑いのなかでがんばっているのは今田耕司《いまだこうじ》、東野幸治《ひがしのこうじ》である。あんな鼻タレ小僧がなんだかんだ言っているうちに、なんとか一人前の芸人になってきやがった（まあ、オレに言わせれば遅すぎたぐらいやけどね）。

ただ気になるのは、ヤツらのことをまわりの人たちがダウンタウンファミリーだとか、松本軍団、もっとひどくなると、弟子だと思っているようなことである。オイオイちょっと待ってくれ。オレはあいつらを弟子にとった覚えもないし、あいつらとてオレを師と仰いだことはないだろう。勝手に決めつけないでもらいたい。

前にもこの連載で書いたように、芸人はサラリーマンではない。一人ひとりが社長なのだ。少なくともオレは芸人の弟子制度は認めていない。ヤツらもきっとそうだろう。

確かにオレには仲間らしき後輩が今田、東野を入れて七、八人いる。でもそれは師弟とかいう関係じゃなく、お笑いが好きでしかもその方向性が比較的近い一つの集合体でしかない。したがって、オレはあいつらに本番前、本番中、終わってからもアドバイスや注意などほとんどしたことない。

ヤツらがウケようが、スベろうが、オレの知ったこっちゃない。そのへんはいたって冷たい。オレはそんなに後輩思いの甘い男ではないのだ。

この世でボケは自分一人で十分だと思っているオレが、なにが悲しくて、アカの他人のヤツらに笑いをプレゼントしなくてはならないのだ。バカバカしい。

それではなぜいっしょに仕事するのかということになるのだが、オレは正直、この何年かでかなりお笑いインポになっている。少々のおもしろいことでは、なかなかボッ起しないのだ。

そんなオレがヤツらといるとき、自分でもびっくりするほど、エレクトしていることに気づく。そう、あいつらといると、飯をくっているとき、車に乗っているとき、いついかなるときでも、お笑い筋肉が鍛えられているのだ。お笑い筋肉をヤツらとひしめきあって、ひきしめあっているのだ。

なぜあいつらを番組で使うのか。それは先輩が後輩に仕事を与えてやるという美しいものではなく、単にオレ自身のために使っているのだ。オレのボケるためのボケ防止なのだ(ちょっとややこしいが)。

オレのお笑いチンポをエレクトさしてくれる若手はいま、ヤツらしかいない。そしてヤツらがオレに集まってくるのも同じ理由からだろう。

もう終わったが、「ダウンタウン汁」という番組でオレはあいつらと全く同じ条件で大喜利をやってきた。そしてオレがヤツらの長でいられるのは、キャリアやランクじゃなく、実力だということを視聴者にもあいつらにも、教えてきたつもりだ。

オレたちが軍団やファミリーと言われるのは仕方ないとして、この先もしオレの笑いがズレてきたら、ヤツらはオレを捨てるだろう。師匠と弟子という固い絆じゃないだけに、気を抜けばオレが今田ファミリーの一員になっている、こともあるかもしれない。

オレたちはそんな恐ろしい関係なのだ。

# スローボールは投げられない それがオレの性格なのだ

つねに新しいものに取り組み、休まることを知らず、他の追撃を許さないこの松本が、またひとつの大仕事に取り組んでいる。

今度は、あの坂本龍一氏とダウンタウン（芸者ガールズ）による音楽と笑いのビューティーなアルバム制作、である。

音楽にかけてはうるさすぎるほどうるさい世界の坂本天才龍一と、これまた笑いに関してはメガトン級の天才ダウンタウンががっちり手を組んだのだから、まずい仕上がりになるわけがない。前代未聞のガチンコアルバムになることうけあいである。

オレとてこんな宣伝まがいのことを書きたくはないのだが、あんな美しい一品が、いままさに制作されているという事実をみなさんにぜひお伝えしたかったのである。今回は前回の作品とは少し違い、笑いのエキスがかなり入っており、歌も満載、いろんな意味でグレードアップしている。

もっともまだまだ制作中で、発売もかなり先のことになってしまうだろうが（五月の中旬あたりか）、期待していただきたい。オレが君たちの期待を裏切ったことは、一度だってないのだから。

それにしても、あの坂本龍一という人もなかなかどうして立派な仕事○○ガイである。これといった趣味ももたず、生活のほとんどを仕事で使い切っている。そんな坂本氏を見ていると、ジャンルは全く違っても、「あー この人は、オレと同じ種族だなあ」と感じる。きっとあの人も仕事がスキとかキライというより（もちろん好きなんだが）、いったんやりだすと、自分でも止まらなくなってしまうタイプではないだろうか。

イヤイヤ困った性分である。オレ自身、この性格には少しまいっている。この連載にしてもそうで、担当のYさんは「そんなに濃い内容ばかりでなくていいですよ」とか「長く続けてくれることに意義があるんですよ」なんて言ってくれるのだが、なかなかそれができない。

この連載をやりだしてから、少しはほかの人（タレント）の連載もチラッと見ることにしているが、ほとんどの人は確かにオレほど濃い内容のことは書いていない。ハッキリ言って、どうでもええやんけー的な連載である（これは悪口じゃないぞ）。オレはあのように肩の力を抜いたスタンスではやれないのだ。

自分がなにかアクションを起こす以上、なんらかの跡を残すものにしたいと思うらしい。

いや、正直、オレとしても、言い方は悪いが、手を抜きたい。そのほうが楽なことも知っている（べつにものを書くのが本職ではないのだし）。

でも、いい感じの手を抜く方法をオレは知らないのだ。速球しか投げられないのが、最大の悩みである。ほかの人たちのようにスローボールを投げようとすると、悲しいかなキャッチャーまで届かない。キャッチャーまで届かすためには、力いっぱい投げることしか方法がない。簡単に言ってしまうと、微調整のきかない欠陥人間である。

きっとオレや坂本さんのような人間は、いったん行くところまで行くしかしょうがないのだ。肩がつぶれるまで投げ続けるしか方法がないのだ。

そんなこんなで、肩に力のたっぷり入った坂本龍一＆芸者ガールズの速球アルバム。さあ君たち、その手でしっかりと受け止めい。

## お笑い貴公子松本には、ウソで固めた番組は許せない

吉本興業のあるお偉いさんが、そのころ新人だったオレたちにこんなことを言った。

「うちぐらいのプロダクションになれば、ちょっと力をそそいでやれば、スターなんて簡単につくれる」

おもろかろうが、おもろなかろうが、カネの力でなんとでもなるというのだ。

「ただおまえらにそんなことをするつもりはない」とも言われたが、イヤイヤ芸能界は恐ろしいところである。ましてやＴＶの世界はどんな不可能も可能に変えてしまうようだ。

前に一度、ＴＶのウソについて書いたが、今回はその第二弾である。

オレなんかがすごく頭にくるのが、現場でまったくシラケていた番組が、ＴＶで見るとえらく盛り上がっていることである。タネを明かせば非常に簡単、オンエア時に笑い声を足しているわけである。はっきり言って、いまバラエティー番組のほとんどがこれである。

一つ断っておくが、オレのやっている番組は、絶対と言っていいほどこんなことはしていない。プライドの高いお笑い貴公子松本が、そんなことを許すわけない（イヤ、それどころかあまり笑い声が多すぎて少し抑えているときもあるぐらいである）。

なぜ、あんなことが許されるのだろうか。

オレが思うに、おもしろくなかった番組をおもしろく見せるのは、一つの技術である。しかし、シラケていた番組を盛り上がったように見せるのは、ただのウソではないだろうか。野球中継で、ホームランを打っていないのに打ったように編集しているようなものである。

まあ、ダマされるほうも悪いのだが、オレなんかが見るとすぐにわかる。この程度のギャグでこんなに大きな笑いはおこらないだろうとか、このオチでこんな笑い方にならんだろうとか（笑い声にもいろんなパターンがあるのだ）。クイズ番組やトーク番組ならまだ許せるとしても（許せんけど）、演芸番組にもこのウソ笑いがあるのがたまらない。

ダウンタウンが昔、「花王名人劇場」に出たときの話だ。

スベリ知らずのダウンタウンは、当然、この日も爆笑をとって舞台を降りた。その後に出たのが、当時、吉本興業がダウンタウンのライバルにしようとしていた若手コンビである（その時点で無理があるし、ウソなのだが）。ダウンタウンであれだけ笑える客なのだから、決してバカではない。当然、そんな若手を笑う訳もない。力の差は歴然であった。ところがところが、オンエアを見てみると、この若手、ちゃあーんとダウンタウンのライバルになっているのだ（客の笑い声だけは）。

イヤイヤ恐ろしい。

しかし、この話にはオチがある。このときの舞台のセットは鏡状になっており、客の顔がその鏡にバッチリ映っていたのだ。不思議な映像であった。鏡に映っている客の顔は素《す》なのに、笑い声だけはどっかんどっかん入っているのだから。

あのときの吉本のお偉いさんに言いたい。お笑いの世界だけはカネや力を使ってもどれだけウソで固めても、どうにもならないのではないでしょうか。

少なくとも、オレはそう信じたい。

## 君たちの鈍感さゆえに番組でオチを字にする悲しさ

たしかにこの連載をやり始めたころに比べると、世間のダウンタウンに対する評価はずいぶん良くなったように思う。オレのまわりでも、ボケたことをぬかす奴はかなり減った。今までダウンタウンをあまり知らなかったオッチャンたちや、あまりいいように思っていなかったおばちゃんたちにも、少しは理解されてきたことを肌で感じる。

ただ「最近ダウンタウンいいね」とか「ダウンタウンの番組は面白くなってきた」なんていわれると、今イチ素直には喜べない。

なぜなら、オレたちダウンタウンは昔っから（デビュー当時から）良かったし、番組が面白いのは今に始まったことではないのだ。あなたたちのずれていたピントが、私たちの努力のかいあって、少しずつ合ってきただけなのだ。オレたちが一歩ずつあなたたちに近づいたわけじゃない。オレたちはずっと前から、ここに立っていたのだ。

しかもオレにいわせりゃ、理解されてきたといってもしょせんまだまだである。日本人は〝お笑い文化レベル〟の低い国民であることに違いはない。オレたちがどれだけ偉大なお笑い芸人かということに気づくのに、これだけの時間がかかったことは何よりの証拠である。

簡単な話、日曜日のCX「ごっつええ感じ」を見て、そのあとNTV「ガキの使いやあらへんで!!」を見れば、オレたちのすごさはわかるはずである。オレたちに対する予備知識がなくても、日曜日の夜だけで気づくはずである（日本語がわかるのなら）。それをこんなになるまでわからんとは、いや、まだわかっていない奴もいるのだから、お笑い文化レベルが低いといわれてもしかたないであろう。

最近やけに多くなってきたのだが、トーク番組などで夕レントのしゃべったオチの部分やポイントの部分を文字にして画面に出す手法。これなんかはまさに、君たちの笑いに対する鈍感さが生んだしろものである。誰かが面白いことをいったとき、耳で聞き、それを脳に送って笑えなければいけないのに、目で見ることを付け足さないと笑えないとは、あまりにも情けない。君たちが聴覚だけで笑えるようになれば、あんなものは必要ないのだ（悲しい）。

あと、ドラマなんかの乱闘シーンで、食べ物をひっくり返そうが投げつけようが全然OKなのに対し、バラエティーで同じようなことをすると苦情の電話がジャンジャンなるのも、お笑い文化レベルの低い証拠である。

イジメをテーマにしたドラマはもてはやされて、イジメらしきことをバラエティーでやるとたたかれる。まったくもって納得がいかない。

そう考えると、もしかしたら今の年配者たちにダウンタウンを理解さすのは、ここまでが限界なのかもしれない。

こうなったら、子供たちに希望を託すしか手がないのかもしれない。ダウンタウンの笑いがたっぷりしみこんだ今の子供たちが、五年後十年後、大人になったとき、この日本はオレの理想のお笑い王国になれるのかもしれない。オレたちの長年の業績が、そこで初めて認められるような気がする。

そんな期待を胸に秘め、この向かい風にお笑いマントをなびかせ、これからも前進するのみのダウンタウンである。

# おもろい奴がモテる時代を水の泡にしてはならない

「松本さんは女の子にモテるでしょう」と、よく言われる。

「ええモテますよ」とオレが言うと、「いえそんなことはないですよ」を予測していた人たちは、一瞬たじろぐ。「なんだ、こいつ」という顔になる。そんな彼らの顔を見るのは、なかなか楽しい。

といって、べつに楽しいだけでそんなことを言っているわけではない。事実、オレはモテるのだから仕方がない。

考えてみてほしい。

これだけの才能に恵まれ、その才能のうえにあぐらをかくわけでもなく、一つの目標に向かって、人の何倍も努力しているこのオレ様が、女に魅力を感じさせないわけはない。何よりオレ自身がオレにほれている。こんなにモテるオレがほれてるオレなのだから、モテないわけがない。

こんなオレがモテなかったら、地球のバランスが保てない。インド人がカレーを食べなくなり、中国人は自転車に乗れなくなってしまう。ただ、学生時代から女にモテたかというと、答えは正直ノーである。

〝おもろい奴が女にモテる〟

今でこそ当たり前になりつつあるが、あのころは決してそうではなかった。フォークギターの弾ける奴が幅をきかせた時代である。最悪の時代である。

そんな暗黒の時代を〝おもろい奴が女にモテる〟に変えたのは、きっとあの漫才ブームではないだろうか。

笑いのひとつもとれん奴は魅力なしとなり、男に対する価値観は大きく変化した。まあ一、オレに言わせりゃ当たり前のことで、昔が狂っていたんだが、好きな芸能人のアンケートをとっても上位はほとんどお笑いタレントである（まあ、あの手のアンケートはあまりあてにはならんが）。

何はともあれ、オレにとって決して悪い状況ではない。笑いの重み、必要性が、少なからず一般的にわかられてきたということは、オレにとって非常に心地のよいことなのだ。これからもずっとその風潮でいってもらいたいものだと思いきや、最近なにやらあやしげな雰囲気が、このお笑い界に漂っている。漂っていることを肌で感じる。

お笑いタレントが一番人気者になれる可能性が高いとふんだ各プロダクション（吉本興

業も含む）が、人気先行型のお笑いをつくり始めている。非常にまずい傾向である。

お笑いタレントが人気者になれるからといって、人気者のお笑いタレントをつくろうとするのは絶対に違う。小・中・高の特に頭の弱いお嬢ちゃんたちにターゲットを絞った中途半端な芸人が横行しそうな気配がプンプンする（事実、もういるし）。

そのうちスカウトマンがいろんな高校や中学に出向き、ルックス重視で単に明るい男の子を二人ほど見つけ、コンビを組ませ、はい、コメディアンのできあがり、になりかねない。せっかくお笑いの価値が上がってきたのに、これではすべて水の泡である。

みなさん（特に吉本興業）、まじめにやろうぜ。このままでは実力のあるコメディアン、ストロングスタイルの芸人はダウンタウンで終わってしまうぞ。

お笑いの価値がどんどん下がり、気がつけば、またフォークギターの弾ける奴がモテる時代になってしまうかもしれないぞ。

# これ以上、オレを邪魔すると お笑い界をやめるぞ、いいか？

男たるもの一歩外に出ると七人の敵がいるなんてことを、ちょくちょく耳にする。

確かにオレにも敵は多い。いや敵だらけと言ったほうがいいのかもしれない。オレの仕事をスムーズに運ばせない者どもが後を絶たない。毎日のように仕事に追われ、ストレスがたまっているうえに、またストレスがのしかかってくる。しかもオレの場合、一歩外に出なくても、向こうから敵はやってくる。

なぜか昔から、少しキレたファンが多いため、ヤツらは時間を選ばない。明け方の四時ごろ平気でマンションのインタホンを押して、「私を買ってください」という女が来たりする。

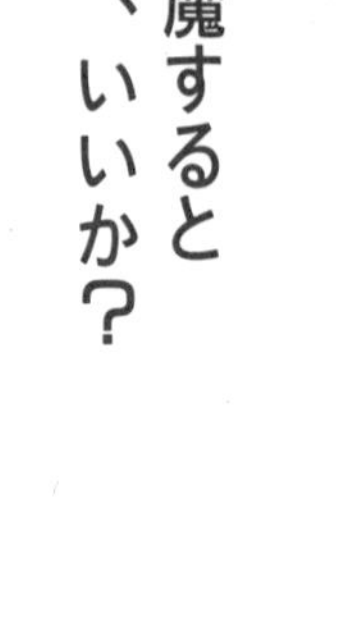

なんでも車で走っていたらガソリンがなくなった。こうなったら、松っちゃんに頼もうとなったらしい（なんでやねん）。

まあー、その発想がかなりいってしまっているわけである。

こういうことがあるたびに、オレは芸能人をやっていることが無性にイヤになる。向こうがたとえ好意でやっていたとしても、顔も知らない女の、睡眠を邪魔する押し売りは、オレにとって十分な敵である。

そういえば昔、見たこともないオバハンが花束をもって楽屋に訪ねてきた。話を聞いてみると、オレの育ての親だというではないか。生みの親だというならまだしも、育ての親には度肝を抜かれた（しかもなんで花束やねん）。

まあー、この人もかなりいってしまっているわけである。こうなってくると、敵も敵、かなり強敵である。そしてこういうファンが増えれば増えるほど、なんらかの形でオレの仕事に悪影響を及ぼすわけである。オレをもっともイライラさせるイタズラ電話もいっこうに減らない。

オレの邪魔をするのはそういったファンだけではない。出る杭は打たれるということなのか、オレの足を引っ張ろうとするものも多い。その代表が二流、三流雑誌の中傷記事である。嫉妬なのか、人の身辺をこそこそと嗅《か》ぎまわり、ありもしないことを書き立て、それでしてやったりのつもりなのか。

物書きとしてはいわば素人のオレの本が二百万部近く売れているのに対し、曲がりなりにもプロのライターがそんなことでいいのか。敵ながらあまりにも哀れである。

オレはなにも地球征服をたくらんでいるわけではない。オレは単純に人々に笑いを提供したいだけなのだ。なぜそのような邪魔をしようとするのか。

人のプライベートタイムを奪おうとするバカなファン、しつこくイタズラ電話をかけてくる知能の低い野郎ども、必死でたたいてほこりを出そうとする三流雑誌、いいかよく聞け。

オレはもともとこの世界にそれほど執着心はないのだ。せっかくオレ様が笑わしてやっているのに、そのような邪魔を続けるのなら、オレはいつだってやめてやる。

そのときになって後悔しても遅いぞ。オレがいなくなったお笑い界がどうなるか少しは考えてみろ。オレが機嫌よく、気持ちよく仕事をやれていることが、日本国中に福を呼ぶのだ。

孝行したいときに親はなしという言葉があるが、笑いたいときに松本なしにならないよう、気をつけたまえ。

# 23歳、闘いきれなかった男の涙
# 無念さが痛いほど伝わった

オレは最近、特に格闘技というものにひかれている。彼らのように〝勝つ〟という何のひねりもない単純明快な目標に燃えている男は、やはりかっこいい。つい先日（九五年三月十八日、後楽園ホール）も、全日本キックボクシング・フェザー級一位である立嶋篤史《たてしまあつし》の試合を見に行ったところである。

彼は全日本キックボクシングのエースであり、辰吉丈一郎《たつよしじょういちろう》同様、リングの外でも強気な発言をして我々を楽しませてくれる。カリスマ性の高い男であり、全日本キックボクシング界初の一千万円プレーヤーでもある。

オレにしてみれば、立嶋篤史ほどの男をわざわざ説明しなくてはならないほど、今の日本においてキックボクシングというスポーツがマイナーであることが腹立たしい。もっともっとＴＶでも放送するべきだ。

半年ほど前になるだろうか、オレの番組の収録に遊びに来てくれたことがきっかけで彼と知り合った。表向きはおとなしげであるが、うちに秘めたそのパワーを、同じ種類の人間としてオレは見逃さなかった。

それ以降、何度か彼の試合を見に行かせてもらっている。

十八日の彼も物静かな様子で、我々のためにとってくれたリングサイドに、試合前わざわざあいさつしに来てくれ、「いい試合見せますよ」とひとこと言い残して、その場を立ち去った。相手はフランス最強の男と言われるカレッド・エビアップという選手で、はっきり言ってそうやすやすと勝たしてくれるわけはない。いやがおうにもオレの緊張は高まる。

いよいよゴングが鳴った。第1ラウンド、立嶋の動きは非常によく、かなり優勢だと思え、この分だと4ラウンドあたりでケリをつけられそうだと安心したところで、第2ラウンド、予想外の出来事がおこった。エビアップの苦しまぎれに出した（オレはそう思いたい）肘打ちが、立嶋のほおをかすり、彼のそのほおは骨が見えるほどパックリ開き、血が滝のように流れだした。試合は当然中断となり、ドクターが傷口を診断する。結局、これ以上試合を続けて、またその傷口に肘打ちをくらうと、ほお骨が砕けてしまう危険性があることから、ドクターストップとなり、不運のＴＫＯ負けとなった。彼はドクターに続けさせてくれとくってかかり、それが無理だとわかったとき、まるで子供のように顔をクシャクシャにして、リングの上で泣いた。

二十三歳の闘いきれなかった男の涙は、オレにとってもつらすぎる結末であった。そして彼はリングを下りる瞬間、オレのほうをチラッと見て、小さな声で「すいません」と頭を下げた。彼の無念さがイヤというほど伝わり、オレは何も言えなかった……。

この先もオレは、この立嶋篤史という男をずっと見続けていきたい。〝勝つ〟ということに、イヤラしいほど貪欲で、〝負け〟ということをまるで子供のように否定する男を。

そしてこのオレも、たとえジャンルは違っても勝ち負けにこだわれるだけこだわって、仕事をやっていきたいものである。

P・S　野球、すもう、サッカーも悪いと言わんが、たまにはキックボクシングも見に行けよ。

# 女好き、という問題について ただし松本個人の場合

芸人は女好きだと言われる。そのなかでも関西芸人が、特に女好きだと言われる。そのなかでもオレたちのグループが特に女好きだと言われ、そのグループのなかでも特に女好

きだと言われるオレは、とんでもないチンコ人間ということになる。

オレにチンコがついているのではなく、チンコにオレがついている。チンコにオレが振り回されており、道に〈ピ〜〉を置いとけば、必ず松本が拾いにくるということらしい。

どうやらオレは、この分野でもチャンピオンになれそうだ。

世の中の男たちは、ナンパと硬派の大きく二つに分けられる。世間的に言うと当然、オレは前者ということになる。辞書でナンパを調べてみると、「異性を誘惑する不良」とある。これには少し、物言いをつけたい。異性を誘惑することができる男といってほしい。当然、不良なるものではない。

ナンパな奴は硬派にもなれるが、硬派はナンパにはなれない。男たるものその日に会った女をいてこますぐらいのパワーがなければならない。それは立派な技術であり、オレも昔（？）はかなりやりまくったものだ。

女のなかには、ナンパをする男は最低という人もいるようだが、はたしてそうだろうか？　たとえば、社内恋愛というものがある。

職場やバイト先で出会った男と女が恋に落ちるわけだが、オレたちはそれを街という規模でやっているだけである。職場で出会うことが縁だとすれば、その日のその場所で、その時間、その通りですれ違うことのほうが、すごい縁だと思える。ナンパを否定することは、出会いじたいを否定することになってしまう。

社内恋愛というものは、オレに言わせれば、なんか手短に済ませてるなあと思わざるをえない。それが、社内結婚などに発展しようものなら最悪である。温泉に行きたいが内風呂で我慢しよう、に近いものがある。

事実、もっと自分にあった最高の相手がいるのではないかと思っている奴はいっぱいいる。そうならないためにも、あとあと後悔しないためにも、出会いが向こうから来るのを待つのではなく、自分から足を使って出会いにいくことが必要なのだ。ナンパはいいことなのだ。

ただ、これはあくまでも松本人志としての意見であり、ダウンタウン松本はちょっと違う。彼は仕事と女を絶対にごっちゃにしない男である。

たとえば、まあ、彼ぐらいになると、ちょっと気に入ったタレントをゲストに呼ぶことはたやすいわけである。そこでチョコチョコっときっかけをつくり、いわゆるおいしい思いをすることも可能だと思う。

しかし彼はそれを好まない。仕事場では、ほとんど女と口もきかない。それはたぶん、彼があまりにも女好きであるがために、それをやってしまうと、仕事に集中できなくなることがわかっているからなのだろう。そういう意味ではあまり器用ではないということも言える。

もしかしたら、街で女に声をかけているオレを見ることもあるかもしれない。しかしそれは、ただの松本であり、TVのなかで仕事に打ち込んでいるあの男が、ダウンタウンの松本である。

## ビートたけし氏の復帰と変で奇妙な周囲の空気について

あのバイク事故から約八カ月、ビートたけし氏がテレビ界に戻ってきた。世間の人たちも興味があったのだろう。復帰当初の番組は、軒並み高視聴率だったとも聞いている。そりゃまあオレとしても、気にならないと言えばウソになる。ビデオに録るなどして、それなりにチェックはさしていただいた。今回はそれについてのオレの素直な意見を書かしていただこうと思う。

はっきり言って、気持ちが悪かった。何がかと言うと、共演者、スタッフ、客などのまわりの受け入れ方がである。そう、妙に持ち上げ、変にあったかく、必要以上にニコニコし、それでいてどこかよそよそしい奇妙な空気である。それには、今あの人にあったかく接しないと、自分がひどい奴だと思われるのではないかという計算までみえる（オレには)。

全くわかっていない奴が多すぎる。オレが一つ教えといてやろう。笑いというものは、あったかく迎えいれられると、どんどんやりにくくなってくる。もしあの人に対して愛情があるのなら、少しつきはなして、冷たく扱うぐらいの接し方がベストなのだ。過保護イコール芸人つぶしである。

事件を起こして半年間、謹慎していた後輩の板尾を「よっ犯罪者!」と言って迎えてあげることが、お笑い人としてのオレの愛情なのだ。あの人自身がまわりのああいった接し方に満足しているのなら、オレがとやかく言うことではないが。

お笑いタレントは俳優、歌手、スポーツ選手などと違い、売れれば売れるほど、ビッグになればなるほど、まわりから変に気を使われすぎてやりにくくなるというマイナス面がある。そう考えると、お笑いであまりデカくなりすぎるのも、考えものなのかもしれない。

そう言えば、ダウンタウンにもそういう面が出てきた。

浜田がだれかビッグなタレントの頭を突っ込みとして殴る。昔なら「ほー、浜ちゃんやってくれるねー」と、強い者に立ちむかうちょっとした勇者を見る感覚だったのだが、最近はあまり感じなくなった。それは、ダウンタウンという名前がデカくなってしまい、もう浜田が弱者ではなくなってしまったということなのだろう。この先われわれダウンタウンが最強になってしまうと(もうなっているが)、浜田はいったいだれの頭を殴れば「ほーやってくれるねー」になるのだろうと、まあそれはそれとして、話を元に戻そう。

オレは、まわりの人たちがたけしさんに対してゴマをすっているようにしか見えない。ワイドショーの奴らなどもそうで、いま持ち上げられるだけ持ち上げようとしている。それをずっと、永遠に続けるのならまだしも、その持ち上げた手は、何かをきっかけに下におとすに決まっているのだ。奴らは平気で、ウソーというぐらい突然に、てのひらを返す種族なのだ。持ち上げたくて持ち上げるのではなく、下にたたきおとすときの落差をつけるための持ち上げである。ほめちぎるか、くさし倒すかのどちらかしかない人たちなのだ（怖い、怖い）。

ただ今回は、そういった意味で、いろんな意味で芸能界を見た！　という感じかな。

## オレはおカネが大好きだ なくてもおつむがあるけどネ

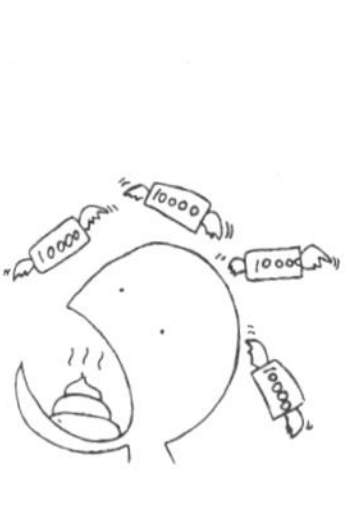

オレの知り合いで道に落ちていた百円玉をラッキーとばかりに拾おうとして、向こうから来た自転車に手をひかれた奴がいる。情けないも通りこした、あまりにもまぬけな事件

である。ただ、このオレも、もしその場に出くわしていたらきっと同じ目にあっていただろう。いまや日本の芸能人の長者番付で一、二を争うようになったオレでも、落ちている百円玉を無視することはできない。

オレは何を隠そう、おカネ大好き人間である。きっと一般の人たちよりも、カネへの執着心は強いように思う。百万円くれたら、ウンコも食べる（ちょっと笑えるし）。

したがって、他のタレントさんたちのように、自分から税務署にニコニコ顔で出かけて行き、これまたニコニコ顔でリポーターに囲まれて、「すっきりしました」なんて言えるほどの余裕はない（当然、ごまかせるものならごまかしたい）。

タレントの中には、家賃月百万とかいうようなマンションに住んでいる人もいるらしいが、オレに言わせると、そんな大金を出してまで住みたいほどのマンションはこの世に存在しない。そんなマンションに住んだら、お父ちゃん、お母ちゃん、学生時代の友達に、冷たい目で見られてしまう。

もしかしたらオレのような人間をまわりの人たちは〝ケチ〟と言うのかもしれないが、オレはいつまでもこの貧乏性的な部分を大事にしたいと思っている。それは、オレがお笑いという仕事をやっていくうえでも重要なパワーとなっているからである。

新人のころ（大阪時代）、カネがないということのつらさをいやというほど味わった。それは生活が大変だったとかじゃなく、お笑い番組でのカネのなさ、そう、制作費である。

大阪ローカルの番組は、全国ネットはもちろん関東ローカルと比べても、びっくりするほどカネがない。お笑いをやっていくうえでハンデがかなりデカく、オレのやりたいことの九五パーセントは「カネがないからアカン」で終わる。貧乏人のせがれとして生まれ、「大金をつかむぞ」と芸能界に入り、そこでまたカネのないことで頭を打つ。家に帰って、ゴールデンのバラエティーを見ると、すんごいセットを使っていたりする。こんなセットが使えたら、オレならもっとおもろくできるのにとよく思ったものである。

笑いはとりたいが、カネはない。結局、アイデアで勝負するしかない。すごいセットが使えないぶん、おつむを使うしかないのだ（きっと大阪が漫才のメッカと言われるのは、そこに理由があるのだろう）。はっきり言って、東京のお笑いタレントは恵まれすぎている。ものごころついたとき（デビュー時）から、裕福すぎるのだ。

オレはいまでこそゴールデンの番組を何本ももち、カネのことを気にせず仕事ができるようになった。でも、すごいセットが使えることを当たり前だとは決して思っていない。カネのなかったころのことは決して忘れていない。もし仮に制作費が少なくなっても、そんじょそこらのバラエティー番組には絶対に負けないだけのおつむとパワーは、きたえられてきたぶん、いまでも十分もっている。

# 高速道路のミステリー
# オレの死とお笑いについて

この話はきっとだれも信じないだろうし、いくらオレが書きつづってみたところで、「アホか」で終わりそうなのであまり書きたくないのだが……と前置きをしておいてからあえて書いてみよう。

つい先日のことなのだが、オレは一人、高速道路に車を走らせていた（同乗者の一人もいれば証人になってもらえたのだろうが）。べつにそれほど急いでいたわけではないし、高速では比較的飛ばさないオレなのだが、あの日はたまたまスピードを出しぎみであった。少しボーッとしていたのかもしれない。

気がつくと、車は急カーブに差しかかっていた。ブレーキを踏んだところで時すでに遅しで、大事故はまず避けられないと自分でも半分以上あきらめかけていたそのとき、車が勝手に、そうまさに勝手にガクンとスピードを落としたのだ。

オレはまったく何もしていないのに、あんなことがあるのだろうか？　あれはいったい

なんだったのだろう。車は実に自然にカーブを曲がり、もちろん車もオレも傷ひとつない。いまだに何がどうなってそうなったのか、全然わからない……。

やっぱりこの話は書くべきではなかったのか、「アホか」で片づけられてしまうのか。オレは結局、〝オレはまだまだ死なせてもらえないのだ〟〝選ばれた人間なのだ〟と非常に自分に都合よく考えることで納得するしかなかった。まあそんなこともあり、今回は死について少し考えてみようと思う。

みなさんは死ぬことがこわいですか？　できるだけ長生きしたいと思っていますか？

オレははっきり言って、そんなに長生きしたいとは思わない。生きているということにそれほど、まあなんというか執着心がない。こんなことを書くと、なにやら誤解されそうなので断っておくが、オレはこの世に思い残すことがないわけでも、近々自殺を考えているわけでもない。ただこの世からいなくなることが、さほどイヤじゃない。

そりゃあ自分の乗っている飛行機が墜落したり、だれかにピストルで撃たれたり、海で溺れるような死に方は絶対に避けたいとは思う。こわい思いをしたり、痛い思いをしたり、苦しい思いをすることはもちろん遠慮したいが、死ということだけで言うと、おそらくみなさんほど抵抗はない。この世から、三、二、一でポンと消えてなくなるのなら、「まあーええか」に近いものがある。

オレのまわりでは、やれ人間ドックじゃ、やれ健康食品じゃと必死になっているものも多い。中にはケイタイ電話を使うと脳腫瘍ができるなどと言って、使うのをやめようとするものまで出てくる（ケイタイ電話を使用したくらいで死ぬのなら、どうぞ死んでくれ）。

なぜオレは死に対してそういう考え方がもてるのか自分なりに答えを探してみたところ、どうもこういうことらしい。

自分がこのお笑い界で一番だと思うその余裕がそうさせている。

もし自分よりすぐれている奴がいれば、オレはそいつを抜くまで絶対に死ねない。今日明日死んだところで、オレが一番のまま死ねるのなら、「まあーええか」ということのようだ。

## いっそのことオレも立候補しようか!?と思う今日このごろ

あの選挙前の街宣カーはなんとかならんのか！　朝のはよから（八時やぞ八時）、何回も何回もアホのひとつ覚えみたいに己の名を繰り返しやがる。

言うとくが、世の中にはいろんな仕事があり、その人その人の生活のペースがあるのだ。

当然、夜遅くまで働いて、昼過ぎまで寝ている人たちもいっぱいいるのだ。それを何が悲しくて、おまえらバカのために起こされないといけないのだ。

だいたい、どこのどいつがあんな早朝からマイクで叫ばすことを許可したのか、それが不思議でならない。しかもあんだけ何度も何度も名前を叫ぶことが、いい結果につながるとは思えない。オレなんかは、ＣＭで商品名を繰り返されればされるほど、絶対買いたくなくなる人間だけに、むかつきこそするが、好感なんて間違ってももてない。

ほかの候補者とかちあったときなどは最悪で、バカ二人が、負けじとばかりに叫び合う(せめてどっちかがひけよ)。まあー、どっちも落ちるのだろうが。

私は宣伝したいのはやまやまだが、みなさんの迷惑にならないよう静かにまわります、という奴は一人もおらんのか。結局、自分のことしか考えてないのマルだしである。どういう理由からかは知らんが、宣伝活動を一切しなかった青島幸男はそういう意味ではえらかった。あんなくそバカハゲたちよりも、一枚も二枚も上である。

何より気持ちが悪いのが、奴らのウソで固められたあのニコニコ顔である。あれが奴らの本来の姿であるわけがない。オレの今までの経験上、ニコニコしている奴らにロクな奴はいない。それが証拠に、落ちたときの奴らの顔は、まるで別人である。受かったら受かったで、あのニコニコ顔はもっと邪悪なニヤニヤ顔に変わる。

選挙には不思議なことがいっぱいある。自転車で宣伝をする人たち。受かったらずっと、自転車で国会などに行くのだろうか？　なぜ受かった人たちはあんなに喜んでいるのだろう？　そりゃあ当選したことは嬉しいだろうが、これから先の大変さを考えれば、そない喜べんだろう。それとも当選することが目的だったのだろうか？

オレのようなひねくれ者は涙流して喜んでいるのを見ると、よっぽどおいしいことがあるのかなあーと思ってしまう。

それから、当選したら〝勝ち〟、落選したら〝負け〟というのも、なんか違う気がしてならない。〝勝ち負け〟とかいう次元のものなのだろうか。あえて言えば、勝つか負けるかは、これから先の働きしだいなのではないだろうか？

そんな奴らを見ていると、いっそのことオレも立候補してやりたくなる。オレのほうが奴らよりはるかにクリーンだと思える。当選・落選は、この際どうでもいい。少しでも奴らの票を横取りして、選挙の邪魔をしたくなってくる。

もし仮に万が一、何かの間違いで当選するようなことがあれば、あったりまえの話だが、謹んで辞退さしていただく。

何も政治家が大変だからではない。今の政治家程度の働きなら、だれでもできる。しかし、オレの本分であるお笑いは何かと両立できるほど、あまっちょろい世界ではないからだ。

# オウムの合間のオレの〝事件〟キリはないが、リキはある

あの一連のオウム事件があまりにもでかすぎて、芸能ニュースは隅に押しやられてしまったようだ。ふだんならスポーツ新聞のトップを飾りそうな出来事もちっちゃなちっちゃな扱いである。まあ芸能ニュースなんてしょせんそんなもんで、大きな事件のないときのその場しのぎのようなもんなのだろう。

なけりゃないで誰も困らない。いや、オレに言わせればあることが困る。いや、困るというほどのこともないが、ないにこしたことはない。オウムの事件がなければ、もっと大きな扱いになっていたのか、大きな事件があったわりにはデカかったのかわからないが、わたくし松本は、またまた女がらみのスキャンダル（オレはスキャンダルとも思っていないが）で紙面に名を売ってしまったわけである。

そのことに関して、べつにここで言い訳をするつもりもないし、ブーたれるつもりもない。オレが女好きだということは、自他ともに認めている事実だし、こんな節操のないチ

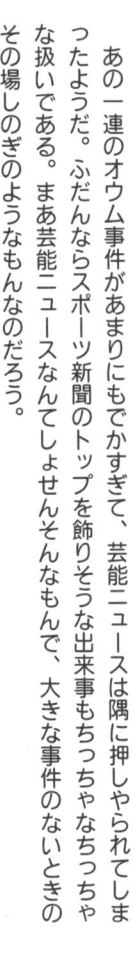

ンポを授かったのが不運（?）だとあきらめている。そんなことでいちいちコメントしていてもキリがない。オレのチンポにはリキがある（なんのこっちゃ）。これからもこの手のスキャンダルはあるだろう。ないわけがない（ガッハハハハ）。

ただ二、三言わしてもらうなら、あの〝密会〟というのはやめてくれ、人聞きの悪い。そしたら何かい、オレが女の子とデートするとき、お前らにいちいち電話して、「今日、セックスしまんねん」と言わなあかんのかい！　白昼堂々手をつないで歩くんかい！　そしたらそっとしといてくれんのかい！（失礼しちゃうぜ！）。それからありのままを書いてくれ。変な色をつけるな。しっかりと調べて事実だけを書いてくれ（君たち、地獄に落ちるよ）。そしてもうひとつ、オレは面食いだ！

こういうことがあると、いつもワイドショーなどが記者会見をやってくれ、とくる。前にもちょっと書いたと思うが、これらのことは松本人志のやったことであり、ダウンタウンの松本に言われても困るのだ。誰より一番、ヤツに手を焼いているのはオレなのだ。前から不思議だったのが、写真週刊誌はどうもダウンタウンの松本より、松本人志を大きく扱う。それがそもそもの間違いなのだ。あんなヤツがどこで誰と何をやろうが、どうでもいいではないか（ほっとけ、ほっとけ）。

そんなことより、ダウンタウンの松本に注目すべきではないのか。たとえば今度出た芸者ガールズのCDアルバム（宣伝してるわけじゃないぞ）。そのことのほうが笑いの歴史において大事件である。あんなヤツの惚れたはれたの話なんて比べものにならない出来事なのだ。

そういえば、前に一万円ライブをやったときの記者会見で、ライブのことはそっちのけ、結局聞いてくるのは女の話ばかり、できあがった記事も当然、女のことばかり。それではあまりにも悲しすぎるぜ。

松本人志の平凡なセックスに関心をもつよりも、ダウンタウン松本の非凡な才能に目をやるべきである。

## 毛ジラミについて教えてくれたオレたちの唯一の育ての親

芸能界というところでは、タレントが売れてくると、「オレがあいつを育てた」というヤツがどんどん出てくる。

ダウンタウンの場合も、きっとオレの知らない育ての親がいっぱいいるのだろう。オレの思うに、ダウンタウンほど人の力を借りず、実力だけではい上がってきたコンビはいない（過去を振り返っても、おそらくこの先も）。ただ、一人だけダウンタウンの育ての親と言える人物がいる。吉本興業のタレントマネジメント部チーフプロデューサー大崎洋である。

大崎氏と初めて会ったのは、十三年前（オレと浜田が十八歳、大崎氏二十八歳の春である）。第一印象は、ボーッとした何かやる気あんのかないのか、ようわからんにいちゃんであった（オレも人のことを言えんが）。ただたくさんいる吉本興業のマネジャーの中で、唯一オレたちの才能を見抜くことのできた貴重な人である（まあー、他のマネジャーがアホなだけやけどね）。

大崎氏はそれこそ親身になって、オレたちの将来を考えてくれた。「コンビ名を決めなアカン」と言って朝まで考えてくれたこともあった（結局、その日は決まらず、オレが決めたのだが）。同期のトミーズ、ハイヒールにどんどん仕事が入りだし、オレたちだけ全く仕事がなかったときも見捨てなかった。

大崎氏のえらいところは、最近のバカマネジャーと違い、笑いのことに関してはいっさい口を出さなかった。舞台を見に来ても、おもしろかったら笑う、おもしろなかったら笑わん。非常にわかりやすい、ありがたいアドバイスである。

その代わり、私生活ではいろんなことを教わった。「女をダマすことは罪にはならん」。大崎氏の言葉である。オレは、今でもその言葉を信じて頑張っている（苦情があるなら大崎洋まで）。毛ジラミという生き物が存在することも、彼が身をもって教えてくれた。二人で温泉に行ったとき、女風呂をのぞこうと、キンタマと肛門丸だしで、岩場を登る様を見たときは、さすがに少し距離をおいてつきあおうとは思ったが。

こんなこともあった。二人でサウナに行ったとき、二十五メートルの温水プールで、

大崎洋「潜水でむこうまで泳げるかな？」

オレ「無理でしょう」

大崎「もしオレが泳げたら、この先おまえが売れたとき、一つだけどんな無茶なことでも、言うことを聞いてくれるか？」

オレ「いいですよ」

と言い終わるか終わらんうちに、プールに飛び込み、見事にそれをやってのけた。青ばなこそ思いっきり垂らしていたが（いま思うと、どうも何日も前から練習していたような気もするが）。変なオッサンである。

今、若いマネジャーたちは、ダウンタウン―大崎洋の関係をつくろうと躍起になっているようだが、絶対無理だろう。大崎洋とダウンタウンには歴史があり、信頼関係がある。もし仮に大崎洋が吉本をやめるといえば、オレもきっとやめるだろう。それは、あの人についていくというクサいものではなく、彼のいない吉本興業に意味がないからだ。

いずれにしても、あの時のプールの貸しをいまだに言ってこないのが妙に不気味である。

# 指図されるのが大嫌いなオレだから、あと4回だ！

オレは人に指図されるのが、大嫌いな男である。この年になるまで、人にものを教わるということをほとんどしていない。

小学生のころ絶対といっていいほどみんなが通っていたそろばん塾も、オレというガキは拒否した。野球も人の決めたルールに従うのがたまらなくイヤなのだ。どこの馬の骨ともわからんヤツが、三回空振りしたらアウトと決めたところで、オレには関係ブーである（オレは必ず四回目でホームランを打つヤツかもしれないのだ）。

この世界に入ってからも当然、性格は変わらなかった。

NSC（吉本総合芸能学院）の一期生であるオレは、書くのも恥ずかしいが、フラメンコを習わされるハメになった。当ったり前の話だが、一日でやめてやった。なんせ二時間のレッスンの間、笑いが止まらないのだ（バカバカしすぎて）。ドラマをやらない理由の一つにも、この人（監督）に指図されるのがイヤというのがある。

と、まあダラダラと書き綴ったが、オレが今回、何を言いたいかというと、この連載をそろそろ終わりにしたいということである。

早いもので、この連載を始めて約二年がたとうとしている。最初から二年でやめようと思っていたわけではないが、ボチボチかなあと終わりを感じ始めている。

連載当初は自分の思っていることと、感じたことをごく自然に素直に書き綴っていた。もともと怒りが服を着ているようなオレだけに、その恨みをこのページにブチまけることはたやすかった。

ところが、だんだんこのオフオフ・ダウンタウンでのオレのキャラクターができあがってしまった（いい意味でも、悪い意味でも）。なんか、週に一度、オレはこのページで怒らんといかんルールができてしまったような気がする。

そうなってくると、極端な話、オレはこの連載を書いているというより、書かされている気がしてくる。オレの大嫌いな「人に指図されている」ような気がする（被害妄想か?）。このままこの連載を続けていくと、オレは腹もたっていないのに無理やり怒ったりしそうである。自分のペースで怒れなくなりそうだ。そうなる前に終わりにしようと思うのだ。

それと、こんなことを書くと、『週刊朝日』さんに怒られるかもしれないが、オレはこの仕事を陰でこそっとやっておきたかった。マイナーな仕事でおいておきたかった（テレビの仕事がメジャーとすれば)。ところが、いまオレが『週刊朝日』に連載をもっていることはほとんどの人が知っている(『遺書』が少し売れすぎたのか?)。

鶴の恩返しではないが、姿を見られたからには私はここにいるわけにはいきません、という感じである(単なるオレのワガママと言われればそれまでだが)。

とにもかくにも、あと四回でいちおう最終回ということになった。その後どうなるか、少し時間をおいて再開するか、形を変えて続けるか、はたまた完全にやめるかは検討中である。

P・S　まあどうなっても、あと四回は読めるのだから、ありがたく思うように。

## 遠くで野次ってるヤツらよリングに上がってこんかい!

前にも書いたように、オレは格闘技が好きである。一生懸命戦っている選手の姿を見ていると、たとえ世界は違っても、オレもがんばらんといかんなあという気にさせてくれる。

ところが時々、イヤな気分になるときがある。バカな客がしょうもないヤジを飛ばしたときである。一心不乱に戦っている選手に向かって、笑える冗談まじりのヤジならまだしも、全く笑えんヤジ。本人はもちろん、聞いているこっちまでイヤな気になる。不愉快きわまりない（リングから遠くに座っているヤツほどよく叫ぶ）。

それは考えてみると、オレの世界でも同じことが言える。

リングに立っているオレに向かって、リングに立っていない芸人、立てていない芸人（その時点で芸人ではないのだが）がゴチャゴチャ言いやがるときがある（これまた、リングから遠くにいるヤツほどよく叫ぶ）。

遠くからのヤジほど、卑怯なものはない。少々文句をたれたところで、まさかリングから下りてきて殴られることはないだろうという安全地帯にいる安心感からの中傷である。

それでは、お笑いにおいて「リングに立てていない」とはどういうことなのかを書いてあげよう。

コメディアン、お笑いタレント、芸人、いろんな言い方はあるが、いま本当の意味で笑いでメシを食えているヤツはいったい、何人いるのだろう。

この芸能界は自己申告である。本人がお笑いタレントと言えば、とりあえずそういうことになる。でも、世間でそう見られていないヤツ、認められていないヤツが大半である。クイズ番組のパネラーでヘラヘラしているだけのヤツらが、お笑いタレントのわけがない。ちょっとかぶりもんをつけて陽気に振る舞っただけで、芸人面されては困ってしまう。そんなことでは、リングサイドにすら一生立てない。

それでは、お笑いタレントとしてリングに立つということはどういうことなのかを書いといてあげよう。

まず自分の番組を持つことである。それはクイズ番組の司会とか、何かのＶＴＲを見てゴチャゴチャ言うものではない。笑いの、つくりものの番組である。ちゃんと計算された笑いの番組である。

そして、それはやはりゴールデンでなければならない。この際、視聴率などはどうでもいい。高い視聴率より高い評価を得ることが必要である。さらに半年や一年ぐらいで終ってはならない。二年、三年とその高い水準をキープし続けなければならない。

それをいま、し続けているものこそが、笑いのリングに立っているものだと言えよう（注・もし、オレのリングはそんなところにはないという芸人さんがいたとしたら、それはオレとは団体が違うということである）。

そう考えると、お笑いのリングに立つということはかなり大変なことであり、立ち続けるということはメチャクチャ大変なことである。

オレはできるだけ長くこのリングに立っていようと思う。

リングサイドや遠くからゴチャゴチャヤジっとるヤツらよ、リングに上がってこんかい！　オレはいつでも戦ってあげる。とりあえず首の骨でも折ってあげようか。

# オレを「目指してます」だ!?
# お笑い視力がかなり悪いゾ

ある後輩がオレにこんなことを言った。

「松本さんの人生っていい人生ですね」

うん、確かにそうかもしれない。ほとんどの人は子供のころなりたかった職業の第一志望が夢で終わり、第二、第三志望でもなれれば大成功、第四、第五ぐらいで手を打っているというのに、オレは幸せ者である。

女にモテモテ、金にも不自由しない。子供のころ家族で外食に出かけても、親に気を使い、チキンライスしか頼めなかったオレが、いまではレストランでメニューを見ていても、料理名だけで金額にはいっさい目がいかなくなった。雑誌などの占いを見ていても、金運の欄に「今月ピンチ」などと書いてあると、「フッフッフッ、バカな」という感じである（ちょっといやなヤツかもしれない）。

とどのつまり、オレは人様からうらやましがられる人間になったということのようだ

（当然と言えば当然だが）。だれだって、人からうらやましがられる人間になりたいと思っているに違いない。もちろんオレとてそうである。ただオレは、人から目標にされる、目指される芸人には絶対になりたくない。

いま、若いお笑いタレントはくさるほどいる（なかには発酵しているヤツもいるが）。そのなかで、もしダウンタウンを目標にしているヤツ、オレを目指しているヤツがいたとしたら（現にいるのだが）、そいつは間違いなくアホである。

オレの生活をうらやましがるのは当然として、オレのような芸人になれると思っているヤツがいたとしたら、「悪いことは言わん、すぐにやめなさい」である。オレは君たちが目指せるほど近くにはいない。「ダウンタウンを目指してます」というヤツは、お笑い視力がかなり悪い。その時点で才能がないと言っているようなものだ。

普通のもんなら自分を目指してくれるヤツをかわいいと思うのかもしれないが、オレに言わせると、なめられている気がして不愉快である。

このオレ様の才能の一ミクロンも持ち合わせていないおまえたちが、才能の上にあぐらをかいているだけじゃなく、人一倍努力しているオレに、「目指してます」などと、なぜ言えてしまうのかわからない。

そんな君たちの希望をこなごなに打ち砕くべく、またまたオレは恐ろしい計画を立てたのだ。あの一万円ライブから約九カ月、お笑い貴公子・松本は、笑いの歴史をさらに塗り替えるべく、再び立ち上がるのだ。

今度のライブは一人。今田、東野、板尾もいないたった一人のライブである。詳しいことはまだ企画中なので書けないが、世のお笑い史上、だれもやったことのないライブになることは間違いない。すごいもんを見せてあげよう。さらにオレをうらやましがる者が増えるかもしれないが、オレを目指すヤツはいなくなるだろう。

そしてこの『週刊朝日』の連載をやめるのは、何も自分のプライベートな時間を作るというのではなく、その空いた時間をライブのために使うという意味もあったのだ。

P・S　といってライブが終わったら連載をまた再開するというもんでもないだろうが……。

## オレがこの2年間で皆さんに言いたかったこと

さて、いよいよこの連載も来週で最終回というところまで来た。この連載を始めたことでストレスを発散できたこともあったし、この連載自体がストレスの原因になったりもし

た。しかし、そんなことも来週でとりあえずおしまいである。

思い起こすに、この二年間、ほとんど〝笑い〟というテーマだけでよくやってこれたと自分でもびっくりしている。お笑いの世界の人間ならまだしも、一般の人たちもよくもまあー、オレの狭い範囲の話に長々とつきあってくれたものだと、さらにびっくりしている。

いまさらこんなことを言うのもなんだが、自分から終わりにしようと決めたものの、いざそれが現実となって近づいてくると、正直なところ少しさみしさも出てくるものである。夜中に一人で机に向かってかりかりと自分勝手に気の向くままにものを書くという作業は、けっこう自分にあっていたのかもしれないなどと思えてくる。

第一回から読み返してみると、やはり最初のころは変に肩に力が入っていたなあなどと感じたり、自分が書いときながら妙に納得させられたり、ちょっと強引やぞと思ってみたり、自分で自分に勇気づけられたりとなかなかおもしろいものだ。

不思議なのは、いままでさんざんわがまま勝手に言いたいことを言い、人に悪態をついてきたわりには、何ももめごとがなかったなあと思うことだ。もしかしたらオレの耳に入ってきていないだけなのかもしれないが、抗議らしきものは一切なかったようだ（たぶん）。まあオレが笑いをテーマに書く分には、だれに何を言われる筋合いもないと言えばないのだが。また、だれに怒られたところで、この連載はすべてオレの意見であり、「すいません」などと謝るようなものでもないし、謝ったところでオレの意見は変わらないだろうし、まあいままで抗議が一回もなかったのはオレの考えが間違っていなかったからなのだろうと、またまたいささか強引にまとめてしまおう。

確かに二年もやっていると、好きな回と嫌いな回というのが出てくるものであるし、そのときといまでは少し考えが違っている部分もある（それはオレがそのときより進歩しているということであろう）。

オレがこの二年間で皆さんに言いたかったことは何か？　何もオレが最高だ、オレが一番だ、オレが天才だということじゃない。オレが言いたかったこと、それは、自分に自信をもつことは悪いことじゃないんだということである。

趣味や遊びならともかく、それでメシを食い、親や家族を養っていく本業である仕事に自信をもち、その世界で自分がいちばん高いところにいるという気持ちはあって当然だし、なけりゃいかんと言いたいのだ。

生意気だとか自画自賛だとかナルシシストだとか言うヤツがいるかもしれないが、そんなもん関係あるかい。肩で風切って歩いたったらええんじゃい。自分が一番と思わんようなら芸人なんてやめちまえ。

ただ、言うからには言うただけのことはせんといかんけどね。口だけで内容が伴っていないウンコちゃんほどカッコ悪いことはないからね。その考えは一回目から、ずっと変わっていない。

# お笑いを愛する者として最後に若い人たちへ

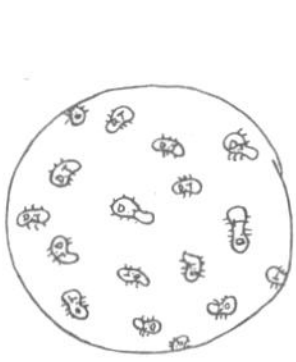

二年間、連載を続けてきて、言い足りへんことなにがあるかなって考えると、やっぱり、お笑いの世界のこれからの人たちのことですよね。

どういう方向にいくんかなーって考えたんやけど、みんなあんまり賢くないね。そのときいちばん光ってるもんを追いかけようとするでしょ。それが絶対違うんですよ。みんなが北なら北へ行くでしょ。それで北で一番になろうとする。それ、違うんですよ。

僕なんか、この世界入ったとき、世間がみんな北へ行ってるとき、あえて違う方向に走ろうと思った。「漫才ブーム」から「オレたちひょうきん族」の方向を否定した。それはすごい怖いことやし、大変なことやけど、そのかわりこっちに目を向けさすことができたら、ダントツですよね。なんでそうせんのかなあと思って。

いまダウンタウンの方向に来たって、抜けるわけない。お笑いをやってるヤツで、ダウンタウンを否定できるヤツがいないんですね。否定したくても、それだけのパワーを持ってない。否定した、それなら何ができんねんと言われたとき、ないからねえ。

「ポスト・ダウンタウン」と言われてるヤツらも、ちょっとダウンタウン風ってだけで、全然話にならないというか。なんやろ、いまの若い人みてたら、ダウンタウンの細胞の一部を培養したようなヤツらばっかり。ナインティナインなんて、ダウンタウンのチンカスみたいじゃないですか。悲しいですよね。

やっぱ、この世界好きやしねえ、この世界守っていきたいと思うから、若い人のこと、考えずにはいられんなあ。

二年間、お笑いはすごい、お笑いはすごいって、まあ、あれだけいっぱい書いてきて、やっと世間が気づいてきた。でもね、本来は、僕がそういうことを書いてはいけないんですよ。

笑いって、ほんまはすごいことなんやけど、お笑いという仕事がいちばん大変な仕事なんやけど、それは暗黙の了解であるべきなんですよ。僕があんまりお笑いはすごい、すごいと言ってしまうと、だんだん笑えなくなってくる。重みが出すぎて、はーって感心されてもしょうがないわけやから。

そこにこう、書いたことでの矛盾というか、不満というか、ありますね。

昔の芸人さんが、自分を下にして笑いをとりましたよね。俳優さんとトークしたりしても、「カッコよろしーなー、車なに乗ってますの、ええですなー、わたしらぜんぜん乗れませんでー」なんて。あれ、いろいろ考えて笑いをとりやすいと判断したんやろうけど、その薬が効きすぎたというか、笑いが下になってしまった。

だから、いっぺん、正直に笑いはすごいんだと言おうと思って言ってきたけど、それでまた言いすぎるとよくないんですよね。

僕、いちばん腹立つのは、芸能人における肩書ですね。歌手っていって、歌手じゃないとこで評価上がっても、歌手としての評価が上がってしまう。コメディアンがドラマやって、高視聴率を取って、高い評価を得ると、コメディアンの評価も上がっていく。これは、どう考えてもおかしい。僕は本職と別のところで評価を上げるのは、卑怯というか、違うと思う。

なんと言うか歌手のドア、俳優のドアとかいろんなドアがあるけど、中に入ってもうたらワンルームですやん。それが僕なんか、すごくイヤなんですよ。本当はひと部屋ひと部屋、別な部屋やなかったらいかんと思うんです。ええかっこ言うと、僕はお笑いの部屋のドアを開けて、お笑いの部屋にずっといますから、隣の部屋でなにがあったって聞こえへんし、関係ないことですね。

僕の九四年の年収も、『遺書』の分を足したらだめなんです。お笑いの評価とは別のことですから。

連載の最後のほう、変に注目されてきてつらかった。注目されないほうがいろんな人の悪口書けるっていうのもあるんですけどね（笑い）。それだけじゃなく、ちょっと影響力を持ちすぎたから。

お笑いの仕事やってると、計算ばかりじゃないですよ。たまにはアホみたいなこともします。それが、なんか松本のやることは全部計算できてて、一語一句意味があるみたいに思われてしまうと、まあそこまで思ってないかもしれへんけど、あんまりそうなってくるとつらいですよね。肩の力を抜いて見てもらわないとあかん笑いもあるし、すべて意味を読みとろうとされると、つらいんですよ。

あと、短時間で書けたのが、どんどん時間がかかるようになってきてね、一回なんか、やっと朝方に仕上がって、次の仕事に影響出て、さすがにそれはいかんやろ、本職に影響する趣味はないやろって。

時間がかかるのは、どうしても順番を考えてしまうからですね。例えば、先週は重い仕事の話書いたから、今度は違うことを書きたい。もう一発、重いテーマなら、ないことはないんやけど、二週は続けたくない。ほならなんにしよーって、そういう悩み方ですね。いろんな色を使いたいじゃないですか。黒、黒でなく、黒いったら緑くらいいきたいし、そういうのすごく悩みましたね。

前も言いましたけど、腹立ってるときは書くペース、速いんですよねー。でも、二年間でけっこう腹立つことも、なくなってきた。なんでやろ。みんなまわりが書かれたくないから、気づかってるのかなあ。なんか前ほど腹立たへんもんなー。

あとほら、この二年間でいろんなことがあったじゃないですか。毛ジラミとか女の問題とか。そしたらね、その反論みたいなこと書かんとあかんみたいになってきたでしょ。それが、すっごくいやだったですね。

無視したいんです。そんなことでオレの連載使いたくないんです。でも、書かへんかったら逃げてるみたいに思われだして。

無駄なことですよ、そんなもんね。反論はある。くっさるほどあるけども、そんなことよりこの仕事のことについて書きたい。『遺書』読んでも、毛ジラミに関する反論の部分、いちばん無駄な、削除したい部分やから。それがいやだった。

だからやめることになって、いまは正直、めちゃめちゃすっきりしてますねえ。うん、すっきりしたなあ。

テレビのレギュラー番組も六本は多すぎる。お笑いタレントとしてのまっとうな仕事は「ガキの使いやあらへんで!!」と「ごっつええ感じ」だけやから、その二本だけでやっていけたらいいんやけど、そうもいかへんからねえ。

それと「一人ライブ」をやろうと思ってます。ただ、お笑いに関してはかなり怖がりですから、きっちりしたもんにならんとね、一〇〇パーセントやるって保証はないです。とりあえず動いてみて、納得できる態勢がとれそうになければ、やめようと思ってます。まあやれると思ってますけどね。

どっかのアホがね、「二人でやってるうちは楽だが、一人になってはじめて厳しさがわかる」みたいなこと言ってましたね。笑いは笑いであって、ケンカしとるんとちゃうんやから。ケンカやったら一人より二人のほうが有利という考えもできるけど、べつにそういうこっちゃないからねえ。

お笑いは二人のほうが不利ということもいっぱいあるし、そうは言うても、まぁたまには一人でやってみようかな～、とは思ってますけど。

# あとがたり

コメディアンは、スポーツ選手とかと一緒やと思うから、絶対どっかで引退せんと。ほんまは動けてないねんけど、動けてるふりしている人いっぱいいるじゃないですか。動けてるというのは、発想という意味ですけど。

ぼくがどんどん年とって、どんどんおっさんになっていくと、ぼくの名前ももっと上がっていくと思うんです。でもそのころには、ぼくのレベルは絶対に下がっていますよね。つまり、すごいおっさん社会でしょう、いうてもすべての面で。だから、いま面白いコメディアンは誰やと言うたときに、結局、批評するのはおっさんですよね。だから、おっさんに支持されないといけないわけです。ぼくがおっさんになって、いい批評を受けるころには、本当はもうそんなに面白くない。そこに絶対問題があるわけですよ。

笑いに関してだけは、おっさんに仕切ってほしくないんですよね。若いやつはおっさんのギャグを全部わかったうえで「オモロない」と言えるけど、おっさんは若いやつのギャグをわからないで「オモロない」と言うてしまう。そこに問題があるんです。

　新人のころもよう思ったんですけど、ぼくが負けていたとしても、当たり前なんですよね。年齢も違うし、芸歴も違う。だから、いまの自分の年だったときのその人に、負けてるかどうかだと思うんです。逆に、その人が自分と同じ年齢やったときに絶対負けているとは思われへん。だからぼくの自信というのは、もしかしたらそこにあるんかもわからない。


　誰に言われずも、ぼくは自分で自分を正しいと思いますし、そういう意味じゃ完璧やなと思います。だから、揺らぐことはないんです。ただ、オレってすごい上のところを狙いたいんですけど、「あれ待てよ。オレ、もしかしたら、知らずにちょっと斜め上ぐらいに行ってもうてるのかなあ」って思うときはありますね。斜め上に行ってしまうと、誰もついてこないと思うんです。だから斜め上には行けへんように、とは思っているんです。ただ、斜め上も、上は上ですけど。

　ぼくの言うところの勝ち負けは、全部発想ですね。発想さえ勝っていたら、もう勝っているんですよ。笑いは発想やと思うんです。それは一〇〇パーセントといってもいいぐらい。それが負けていないんだから、絶対負けていない。

　ぼくのピークといわれれば、わからないですけどね、まあいって四十じゃないですか。

そのあと、俳優だとか司会だとか、とにかく形態を変えてまで芸能界に残りたくないですからね。最初の姿勢のままでいきたい。ぼくはお笑いが世の中でいちばんの仕事やと思うから、お笑いから役者へ行く人って、なんでええ仕事してるのに下へ行くんかなとぼくなんか思う。役者の人、聞いたらすごい怒るかもしれへんけど。

お笑いがいかんようになったんやったら、やめたらいい。取り繕って、つぎはぎだらけで残るほど、そない芸能界ってええかなって、ぼくなんかは思いますね。

引退ですね。引退したいことはないけど、まあ、せなあかんでしょうね。

「遺書」というタイトルをつけたのも、やっぱり寿命は短いと思いますから。こんなペースでというか、こんなやり方で、そんなに長くはもたないですよ。まあ、遺書っていっても、そういう意味であって、本当に死ぬとかそういうことはないですよ、死ぬんじゃないかって、よくいわれますけど。早死にしそうだとかも、よく言われますね。ファンレターで「自殺するんじゃないですか」っていうのはたまーにありますね。自殺はないと思いますけど……。

連載を書いてて妙にいやなのは、番組の収録のときです。けっこう週刊朝日置いてあるんですよ、収録のところに。パッと誰かが手に取ったりすると、「あっ、週刊朝日読むのォー」という感じ。なんちゅうのかなあ、照れ臭いっていうか。パッと見ると、ちょうど読んでるとこやったり。

番組で雑誌の話をしても、「週刊朝日」って出すのは避けたくなるタイプなんです。何か白々しいというか、いやなんです。番組でも、この連載をしていることなんて言うたことない。いやなんです。だから、本が出ても宣伝するのって嫌いなんです。ぼく、宣伝しないですからね。

書いていて、今回はええこと言うてんな、今回はちょっと流しておこうかなみたいなのはやっぱりありますよ。で、送られてくる手紙を読んでると違うんですよね。ぼくが流して書いたようなやつの方がリアクションがあって、「それよりもおまえ、ちょっと前にもっとええこと書いたやろ。あのことは、何にもないのか、おまえには」というのはありますね。

ぼくね、あんまり本を読まないんですよ。だから感覚だけで書いているんです。「何であぁ書いた」って聞かれても、全然理由はないんです。辞書は調べますけど。基本的には、事前に何を書くかあんまり考えることもないんです。

書くスピードは、そのときによって全然違いますね。人の悪口は速いですね。もう、一時間かからないときありますね。ただ、ぼく、いままで一回だけ人を褒めた。あの「おっとこまえ」のときがいちばん時間かかりました。

あのとき感じたんは、やっぱり人を褒める方が絶対難しいなと。人をくさすのはこっちの思うままやから、なんとでもなるけど、人を褒めるのは、間違った褒め方したら、いっちばん失礼ですよね。自分でも、ダウンタウンのことを褒めているような記事でも、やっぱりすっとんきょうな褒め方をされていると、腹はたちませんけど、いちおう褒めてんねんから、腹はたたんけど、読んでて変な汗出ますよね。脂汗でもない、何か気持ち悪ーい汗をかきますね、じわーっと背中にね。あれになりたくなかったんで、けっこう悩みましたね。だから、すごーい時間かかりましたね。三、四時間かかったかもわからない。

ぼくはすごい自信家ですけど、その反面、私事でね、おれが女と付き合ったことなんか、オモロイかあ、というのがあるんですよ。誰も興味ないんちゃうかなあとか思うんです。だから、毛ジラミのときなんか、まだ面白みがあったんで、わりと乗ってできたんですけど。

ただ、やっぱりええかっこでも何でもなくてね、芸能レポーターとかに追いかけ回されるのは、ぼくは仕方がないと思うタイプなんですよ。だって、それでおいしい思いもしてるわけやし、ネッ。芸能人ということで女とやったりしているわけですから。都合のええときだけ芸能人で女とやったりして、それで追いかけ回されて、「おれのプライベートは」みたいなことを言うのは、ぼくはちょっと違うかなと思うから、ある程度はしゃあないですね。

（一九九四年八月二十五日）

AD◉多田　進
本文イラスト◉松本人志

「松本《まつもと》」の「遺書《いしょ》」　朝日文庫

1997年8月1日　第1刷発行
2002年5月30日　第10刷発行

著　者　松本人志《まつもとひとし》

発行者　柴野次郎
発行所　朝日新聞社
〒104-8011　東京都中央区築地5-3-2
電話　03(3545)0131（代表）
編集＝書籍編集部　販売＝出版販売部
振替　00190-0-155414
印刷製本　凸版印刷株式会社


定価はカバーに表示してあります

ISBN4-02-261191-X